DU MÊME AUTEUR

dans la Bibliothèque Verte :

Les Six compagnons et la pile atomique
Les Six compagnons et l'homme des neiges
Les Six compagnons et le petit rat de l'Opéra
Les Six compagnons et l'avion clandestin
Les Six compagnons et l'émetteur pirate
Les Six compagnons et les agents secrets
Les Six compagnons se jettent à l'eau
Les Six compagnons et la disparue de Montélimar
Les Six compagnons et les espions du ciel
Les Six compagnons et les pirates du rail
Les Six compagnons à Scotland Yard
Les Six compagnons et l'homme d'acier
Les Six compagnons et le mystère du parc
Les Six compagnons et la princesse noire
Les Six compagnons et les voix de la nuit
Les Six compagnons et le cigare volant
Les Six compagnons et la bouteille à la mer
Les Six compagnons et le secret de la calanque
Les Six compagnons au gouffre Marzal
Les Six compagnons et l'homme au gant
Les Six compagnons et les skieurs de fond
Les Six compagnons et les bébés phoques
Les Six compagnons et l'âne vert
Les Six compagnons et le château maudit
Les Six compagnons et la perruque rouge
Les Six compagnons et le piano à queue
Les Six compagnons dans la ville rose
Les Six compagnons et les Agneaux de l'Apocalypse

L'éventail de Séville (Grand prix « Salon de l'Enfance » 1958)
La croix d'or de Santa Anna
La princesse sans nom

dans l'Idéal-Bibliothèque :

Soleil de mon Espagne
Du gui pour Christmas
Les compagnons de la Croix-Rousse

dans la Bibliothèque Rose :

Le jongleur à l'étoile
Diabolo et le cheval de bois
Diabolo le petit chat
Diabolo pâtissier
Diabolo et la fleur qui sourit
Diabolo sur la lune

Série « La Famille H.L.M. » :

Slalom sur la piste noire
Le petit passeur du lac
L'homme aux souris blanches

PAUL-JACQUES BONZON

LES SIX COMPAGNONS DE LA CROIX-ROUSSE

ILLUSTRATIONS D'ALBERT CHAZELLE

HACHETTE

HACHETTE, 79, BOULEVARD SAINT-GERMAIN, PARIS VIe

A tous les enfants
qui ont eu le bonheur d'aimer un chien...

CHAPITRE PREMIER

KAFI

CE JOUR-LA, je ne l'oublierai jamais. C'était à la fin de septembre. On avait encore l'impression du plein été, avec sa grande lumière, ses cigales qui frappaient des cymbales dans les oliviers. Au début de l'après-midi, nous étions partis, Kafi et moi, grapiller dans les vignes les raisins oubliés par les ciseaux des vendangeurs.

Kafi était mon meilleur camarade, mon meilleur ami. Nous avions grandi ensemble, moi sur deux pieds, lui sur quatre pattes, car Kafi était

un chien, le plus beau des chiens, le plus intelligent... pas seulement parce qu'il m'appartenait, mais parce que c'était vrai. Son poil avait le luisant de la soie; quand on caressait son dos, d'un beau noir de suie, on aurait dit du velours. L'extrémité de ses pattes était du roux le plus vif comme si, un soir d'été, il s'était jeté dans le grand brasier d'un feu de Saint-Jean. Quand il se dressait pour me poser ses pattes de devant sur les épaules, il me dépassait de toute la tête. Après ses courses folles, dans la campagne, il revenait toujours se coucher à mes pieds, haletant, et tirait une langue rose aussi longue qu'une feuille de maïs.

Il s'appelait Kafi, du nom d'un vieil Arabe qui me l'avait donné, six ans plus tôt, pas plus gros qu'une pelote de laine. Ce vieil Arabe, un marchand ambulant, était passé un soir, à Reillanette, chargé de tapis et d'objets de cuir et accompagné d'un chien-loup, ou plutôt d'une chienne à qui il confiait la garde de sa marchandise. L'homme avait demandé à coucher dans une grange, près de chez nous. Dans la nuit, la chienne avait eu deux petits dont l'un était mort en naissant. Le vieil Arabe ne pouvait emmener l'autre, mais il aimait les bêtes et ne voulait pas le supprimer. Il nous l'avait offert, ne demandant rien en échange, proposant même son plus beau tapis si nous gardions le petit animal. Emue, ma mère qui savait combien j'aimais les bêtes, avait accepté le chien pour moi... et refusé le tapis, pour elle. Alors le vieil Arabe était reparti soulagé, disant

que nous pourrions appeler le petit chien Kafi, comme lui-même, parce que, dans son pays, on donnait volontiers aux animaux qu'on aime bien le nom de leur ancien maître.

Ainsi, Kafi était resté chez nous; il avait été élevé au biberon, comme un enfant, et nous étions devenus inséparables.

Ce jour-là, donc, nous étions partis dans les vignes. Plus vif que moi, Kafi me devançait et happait les plus beaux raisins à grands coups claquants de mâchoires. Mais je n'étais pas aussi joyeux que d'ordinaire. Je savais qu'un événement se préparait et que, peut-être, tout à l'heure, quand papa rentrerait?...

Au lieu de suivre toutes les rangées de vignes jusqu'à la dernière, je sifflai Kafi et nous revînmes sur nos pas, vers le village; je m'assis sur le talus qui borde la rivière. Kafi se coucha à mes pieds me jetant un regard interrogateur qui semblait dire : « Qu'as-tu, Tidou?... tu es si pressé de rentrer? tu vois bien que le soleil n'est pas encore tombé derrière la terre!... »

Non, je n'étais pas pressé; pourtant, une force irrésistible m'attirait vers Reillanette où, tout à l'heure, mon père allait descendre de l'autobus. Je pris dans mes mains la tête de Kafi et le regardai dans les yeux, pour une confidence.

« Tu le sais, Kafi, que nous attendons papa. N'as-tu pas compris pourquoi il s'est levé si tôt ce matin, pourquoi il a mis son complet du dimanche? Il va rentrer de Lyon. Lyon! ce nom-là ne te dit rien, c'est une grande ville au bord

du Rhône, comme Avignon, une ville où nous irons peut-être vivre bientôt... »

Kafi m'écoutait, les yeux brillants, et on aurait dit qu'il comprenait. Pour me manifester son amitié, il me donna, sur la joue, de petits coups de sa truffe noire et froide, selon sa manière.

« Bien sûr, Kafi, si nous quittons Reillanette, nous n'aurons plus toute la campagne à nous, tu n'entendras plus les cigales, tu ne sauteras plus après les papillons, mais je te sortirai souvent; nous irons nous promener au bord du Rhône. »

Bien avant l'arrivée du car, je vins m'asseoir sur le banc de pierre de l'unique place du village, une place si petite que, pour tourner, l'autobus devait s'y prendre en deux fois. Kafi devinait mon émoi; il me regardait d'un air penché, comme lorsque lui-même était inquiet. Je le caressai sur la tête, chiffonnant ses oreilles pointues tout en jetant un coup d'œil vers l'horloge du clocher. A mesure que le temps passait, mon impatience devenait presque de l'angoisse, sans que je susse pourquoi.

Depuis longtemps mon père voulait quitter le village. Oh! non parce qu'il ne s'y plaisait pas! Mais le pays était pauvre, la vie de plus en plus difficile. Le petit atelier de tissage, le seul existant dans la région et où travaillait mon père, menaçait de fermer ses portes. Si, encore, ainsi que beaucoup de gens de Reillanette, nous avions possédé un peu de vigne ou quelques rangs d'oliviers... Mais nous n'avions rien. Alors,

un jour, papa avait écrit à un ancien camarade, fixé à Lyon, en lui demandant « si, là-bas, tu pouvais me trouver du travail et un logement... ». Pour le travail, c'était sans doute facile; mon père était un bon « gareur » ainsi qu'on nomme l'ouvrier chargé de réparer les métiers... mais le logement?

Enfin, l'ami de mon père avait fini par dénicher un appartement d'une maison ancienne du quartier de la Croix-Rousse, le quartier des canuts ou, si vous voulez, des tisserands.

« Hélas! ce logement n'est pas fameux, avait écrit le Lyonnais, avant de le retenir, je préférerais que tu le voies. »

C'est pour se rendre à Lyon que mon père était parti de grand matin.

Il faisait presque nuit quand on entendit ronfler le car sur la route d'Avignon. Kafi, le premier, avait dressé l'oreille. Il se précipita au-devant de la voiture, mais au lieu d'accueillir mon père par des aboiements joyeux, il se contenta de lui lécher la main. Moi aussi, je remarquai l'air soucieux de papa. Je demandai :

« Alors, ce logement, tu l'as vu?... comment est-il?

— Oui, mon petit, je l'ai vu... je l'ai vu. »

Il n'ajouta rien. Je n'osai le questionner davantage; je voyais bien qu'il n'avait pas envie de parler. Nous rentrâmes tous trois en silence à la maison. Maman qui nous guettait, avec mon petit frère Geo qui n'avait que quatre ans, s'avança et, comme moi, demanda :

« Alors, ce logement? »

Mon père eut un petit haussement d'épaules qui en disait long.

« Oui, je l'ai vu... »

Il s'était laissé tomber sur une chaise, devant la table, où le couvert attendait. Maman le regarda, anxieuse, les mains jointes sur son tablier de cuisine.

« Oui, reprit mon père, je l'ai vu,... ce n'est pas fameux; la maison est vieille; elle doit même être abattue, dans quelque temps, quand on rebâtira le quartier... c'est pour cela que le propriétaire ne fait plus de réparations... trois petites pièces, au cinquième, presque sous les toits. C'est tout ce que mon camarade a trouvé... et encore, il paraît que c'est une chance; une chance à prendre ou à laisser. On ne m'a pas donné le temps de réfléchir... c'est fait. »

Ma mère soupira. Trois petites pièces alors que nous en avions quatre grandes à Reillanette, et au cinquième, nous qui vivions depuis toujours devant un jardin et toute la campagne.

« Bien sûr, fit-elle, ce n'est pas le rêve, mais puisqu'un jour ou l'autre il fallait que nous partions. Plus tard, nous chercherons quelque chose de mieux. Tu gagneras davantage; nous mettrons Geo à l'école maternelle, pendant ce temps je ferai quelques heures de ménage; dans une ville comme Lyon ça doit se trouver, les ménages. Dès que nous serons plus à l'aise nous verrons... tu as bien fait. »

Mon père se força à sourire pour remercier maman d'accepter si courageusement d'être mal logée dans une maison sale, elle qui tenait si bien la nôtre, mais, presque aussitôt, ses sourcils se froncèrent de nouveau.

« Ce n'est pas tout, ajouta-t-il, il y a autre chose qui m'ennuie,... qui m'ennuie beaucoup.

— Mon Dieu! quoi donc? »

Mon père me regarda, puis regarda le chien.

« Nous ne pourrons pas emmener Kafi. »

Sur le coup, je crus avoir mal compris puis, brusquement, mon cœur se serra, dans ma poitrine, si fort, qu'il me fit atrocement mal.

« Oh! Kafi!... il ne pourr... »

Je ne pus achever; les mots s'arrêtèrent dans ma gorge. Je me mis à trembler comme une branche d'amandier dans le mistral. Je regardai maman, la suppliant des yeux de parler à ma place.

« Oui, fit-elle, pourquoi? Je sais bien qu'un

chien de la taille de Kafi tient la place d'une personne, mais Kafi fait partie de la famille, nous ne pouvons pas l'abandonner. Nous nous arrangerons. »

En entendant son nom, Kafi s'était levé. Il vint frotter son museau contre la main de maman, comprenant, au ton de la voix, qu'elle prenait sa défense, qu'elle voulait le protéger d'un danger inconnu.

« Je sais, déclara mon père, nous y sommes tous attachés, cependant c'est impossible, absolument impossible. Pas de chiens dans la maison, la concierge a été catégorique, elle m'a même fait signer un papier. »

En entendant maman prendre la défense de Kafi, j'avais repris espoir. Un sanglot me secoua. Je me jetai à terre, étreignant mon chien. Il y eut un lourd silence puis mon petit frère, lui aussi, se mit à pleurer. Alors mon père se leva, posa la main sur mon épaule.

« Tu le vois, je n'y puis rien, Tidou; je savais que tu aurais beaucoup de peine... Comment faire autrement? »

Je me redressai, indigné.

« Il ne fallait pas!... »

Devant maman consternée, qui n'osait plus rien dire, mon père essaya de me raisonner.

« Ecoute, Tidou, tu es grand, toi, tu peux comprendre... »

Non, je ne pouvais pas comprendre. Kafi était mon ami, l'abandonner serait un crime. Pourtant, au fond de moi, je sentais que je ne serais pas le plus fort. C'en était fait, nous allions par-

tir et Kafi ne nous suivrait pas. J'étais désespéré.

Quand, deux heures plus tard, je montai dans ma chambre, mon chagrin ne s'était pas apaisé et je sentais qu'il ne s'en irait jamais. D'ordinaire, Kafi couchait au pied de mon lit sur un vieux paillasson recouvrant le carrelage rouge et il ne bougeait plus jusqu'au lendemain, à mon réveil. Alors il se levait, posait sa tête sur le drap en poussant de petits grognements étouffés, attendant sa première caresse. Ce soir-là, au lieu d'ouvrir mon lit pour me glisser entre les draps, je m'étendis tout habillé sur le paillasson près de mon cher Kafi, pour ne pas le quitter et, passant mes bras autour de son cou, je murmurai au creux de ses oreilles velues :

« Kafi, si on nous sépare, je te retrouverai... »

CHAPITRE II

LA GRANDE VILLE

Nous quittâmes Reillanette les premiers jours d'octobre. Maman avait espéré que nous partirions plus tôt, pour que je ne manque pas la rentrée des classes, mais les locataires de la Croix-Rousse venaient seulement d'évacuer le logement.

Depuis le jour où j'avais su que Kafi ne nous suivrait pas, mon chagrin ne m'avait plus quitté. Ma peine était comme ces échardes qui s'enfoncent toujours plus profondément dans la

chair et qu'on ne peut plus retirer. Je n'en voulais pas à mon père ni a ma mère qui, je le voyais bien, étaient très ennuyés pour moi. Ma rancœur, je la reportais sur cette horrible concierge d'où venait tout le mal, et que je détestais avant de la connaître, sur cette ville de Lyon aussi qui, pourtant, au début, m'avait fait faire de si beaux rêves.

Pour transporter notre mobilier, mon père ne s'était pas adressé à une entreprise de déménagements d'Avignon, mais à un maçon du voisinage qui possédait une camionnette et demandait moins cher. Si la voiture n'était pas grande, notre mobilier, lui non plus, n'était pas encombrant. Nous n'aurions là-bas ni cave, ni grenier, ni jardin, et il avait fallu se débarrasser de beaucoup de choses. J'avais été peiné en voyant disperser tous ces objets familiers, témoins de mon enfance, c'était peu de chose à côté de mon chagrin de perdre Kafi.

Pauvre Kafi! Certainement, il avait compris qu'on ne l'emmènerait pas. Les derniers jours, quand maman empilait la vaisselle dans des caisses, il ne quittait pas ses talons. Il refusait même d'aller comme d'habitude chercher le journal au bureau de tabac, craignant sans doute de trouver la maison vide à son retour. Il avait une façon si lamentable de pencher la tête en me regardant, que les larmes me montaient aux yeux.

On avait décidé qu'il resterait chez Aubanel, le boulanger. C'est moi qui lui avais trouvé cette nouvelle famille. Frédéric, le petit Aubanel, qui

allait à l'école avec moi, aimait les bêtes. Avec lui, Kafi ne manquerait pas de caresses. C'était ma consolation; mais j'espérais surtout qu'aussitôt à Lyon, maman trouverait un nouveau logement, comme elle me l'avait promis, et qu'alors nous pourrions le reprendre. Pourtant, je ne me faisais guère d'illusions. Cela pouvait demander des semaines, des mois.

Le jour du départ, un mistral fou balayait la vallée, courbant les cyprès, donnant au ciel cette belle couleur bleu lavande que j'aimais tant. La camionnette arriva de grand matin et le chargement commença aussitôt. Le maçon n'entendait pas perdre plus d'une journée et voulait rentrer le soir même.

A huit heures et demie, tout était prêt, la grande bâche tendue sur le mobilier. Mais, au dernier moment, le malheureux Kafi, qui n'avait cessé de me suivre dans mes allées et venues, avait disparu. J'explorai la maison, de la cave au grenier. Il n'était nulle part. Pour cacher sa peine, s'était-il blotti dans un coin, comme font les bêtes qui souffrent?

« Tant pis! fit le maçon, on ne peut tout de même pas perdre du temps pour un simple chien. »

J'étais désespéré de quitter Reillanette sans dire adieu à mon chien. Je repartis en courant dans la maison. Toujours rien!

« Au diable! ton chien, lança le chauffeur, excédé; en route! »

Et il grimpa dans la voiture pour mettre le moteur en marche. A peine s'était-il laissé tom-

ber sur le siège qu'un gémissement sortit de sous la banquette. Profitant d'un moment d'inattention, Kafi s'était glissé là pour partir en cachette. On eut beaucoup de mal à l'extirper de son refuge, plus mort que vif. Conscient d'avoir commis un acte défendu, il baissait l'échine, s'attendant à un châtiment.

« Conduis-le à la boulangerie, dit vivement mon père, et qu'on l'y enferme pendant un bon moment pour qu'il n'ait pas la tentation de suivre la voiture. »

Mon pauvre Kafi se laissa entraîner sans résistance... mais pas une seule fois ses yeux intelligents ne se levèrent vers moi. Frédéric l'enferma dans la « gloriette », la petite pièce obscure où on fait lever la pâte en hiver, après que je l'eus encore une fois serré très fort contre moi.

« Soigne-le bien, Frédéric!... et quand il sera triste, parle-lui de moi! »

Dehors, le maçon s'énervait. Je grimpai dans la cabine, sur les genoux de mon père, tandis que maman tenait Geo. La voiture démarra. Pendant un long moment, personne n'osa dire un mot. Nous avions presque l'air de mauvais parents qui fuient en abandonnant un enfant...

On arriva à Lyon vers midi. Nous avions laissé le soleil loin derrière nous, du côté de Valence. En même temps que le mistral faiblissait, le ciel s'était peu à peu couvert. Le chauffeur avait mis en marche son essuie-glace; il pleuvait. C'est sous ce voile de pluie que m'apparut la grande cité, grise et triste, si différente

d'Avignon où j'étais allé plusieurs fois. Je me penchai en avant pour la découvrir, à travers l'éventail que dessinait, sur la vitre, l'espace balayé par l'essuie-glace. Comme nous traversions un pont, mon père tendit le doigt.

« Vois-tu, Tidou, là-bas, c'est la Croix-Rousse. »

La Croix-Rousse!... Le nom était joli. Je m'étais imaginé un quartier roussi de lumière et je n'apercevais qu'un entassement de maisons toutes pareilles, en forme de cubes, percées de fenêtres toutes pareilles elles aussi. Comme j'étais loin de Reillanette!...

Après avoir suivi de grandes artères très animées, la camionnette s'engagea brusquement dans des rues très étroites. Nous attaquions la colline de la Croix-Rousse. La pente était si raide que le chauffeur dut, par deux fois, changer de vitesse. Dans ce quartier embrouillé, compliqué, mon père ne se reconnaissait plus et le chauffeur, contraint à de fausses manœuvres, ne cessait de maugréer. Il fallut demander son chemin. Enfin la camionnette s'arrêta. Notre rue s'appelait « rue de la Petite-Lune », peut-être parce qu'elle était courbe comme un croissant de lune. Tout le long du chemin je n'avais cessé de penser à la concierge, à ce que j'allais lui dire, car j'étais bien décidé à lui crier mon indignation. Quand elle apparut, je restai muet. Elle n'était pas aussi dépeignée, aussi sale que je me l'étais représentée, mais son air glacé, sa voix surtout, me paralysèrent. En guise de souhaits de bienvenue, elle déclara :

« Surtout, pas d'éraflures dans mes escaliers.. et quand le déballage sera fini, faudra m'enlever la paille et les paniers devant l'immeuble!... »

Elle avait dit « mes escaliers » comme si la maison lui appartenait, et elle avait une façon qui me paraissait curieuse de prononcer le mot « immeuble » en traînant sur « eu » ce qui était je devais bientôt l'apprendre, l'accent lyonnais.

Le chauffeur déclara qu'on allait tout de suite « casser la croûte », dans le plus proche café, pour revenir aussitôt commencer le déchargement.

Mais, plus que de manger, maman avait hâte de voir notre nouveau logement. Tandis que mon père et le maçon allaient commander le repas et prendre l'apéritif, elle demanda la clef à la concierge. Je voulus l'accompagner avec Geo, pour me rendre compte si vraiment il n'était pas possible de trouver une place pour Kafi. Jamais de ma vie, je n'avais monté autant de marches. Au quatrième étage, mon petit frère refusa d'aller plus loin. Je le pris à califourchon sur mon dos et c'est ainsi que nous arrivâmes au dernier palier de cette immense bâtisse. Maman ne put retenir un cri de déception.

« Comme c'est petit!... encore plus petit que je l'imaginais! »

Elle osait à peine entrer. La cuisine était minuscule, les deux autres pièces à peine plus grandes. Mon cœur se serra en pensant à Kafi. Non, vraiment, il n'y avait pas de place pour lui

dans cette maison. Pauvre Kafi! Que faisait-il à cette heure? l'avait-on fait sortir de la gloriette?... n'était-il pas sur la route, courant à perdre haleine pour essayer de nous rejoindre?...

Dans cet appartement si étroit, on avait l'impression d'étouffer; je m'approchai de la fenêtre. Hélas! pas de ciel comme devant ma chambre à Reillanette, rien que des murs, des toits aux tuiles ternes. Je me penchai pour regarder en bas dans la rue. Et tout à coup mon cœur se mit à battre à grands coups. Sur le trottoir d'en face, un passant, caché par son parapluie, tenait en laisse un gros chien. Même dans ce quartier il existait donc des gens heureux qui pouvaient posséder un chien et dont la concierge était moins féroce que la nôtre?... Mon indignation me reprit avec toute sa force. Je me penchai plus avant pour suivre, jusqu'au bout, le passant et son compagnon.

« Oh! Tidou », s'écria maman, me croyant prêt à basculer dans le vide.

Je me retournai et me raidis pour ne pas laisser voir mes larmes, car maman, elle aussi, avait les yeux humides, et je ne voulais pas accroître sa peine, mais ma résolution était prise. Malgré l'appartement trop petit, malgré la concierge, Kafi viendrait...

CHAPITRE III

L'ACCIDENT

Trois jours plus tard, je faisais mes débuts d'écolier citadin. La veille, j'étais venu avec maman, me faire inscrire dans cette école de la Croix-Rousse, une école qui m'avait tout de suite paru laide et triste, avec ses murs trop hauts, sa cour trop petite sans arbres et sans vue. Mais j'allais enfin avoir de nouveaux camarades!

Ce matin-là, je quittai de bonne heure la rue de la Petite-Lune de peur d'être en retard.

Quand j'arrivai, le portail était encore fermé. Bientôt les gamins s'approchèrent par bandes, je pénétrai avec eux dans la cour qui se transforma, en quelques instants, en une grouillante fourmilière. Je me sentis subitement affreusement dépaysé. Oh! si j'avais eu Kafi, avec moi, comme à Reillanette! Là-bas, mon brave chien m'accompagnait souvent jusque sous le préau pour recevoir les caresses de tout le monde.

Vraiment, ces visages inconnus étaient trop nombreux. Personne ne songeait à s'occuper de moi, alors qu'à Reillanette, un nouveau venu à l'école était aussitôt entouré et questionné.

Quand la cloche sonna, personne ne m'avait encore adressé la parole. Cependant, me voyant dans l'embarras, un gamin me lança :

« T'es nouveau, toi?... quelle classe?... »

Je montrai la petite fiche que m'avait remise le directeur, la veille.

« Troisième « B », fit l'autre... tiens, là-bas, avec le barbu! »

Le barbu, c'était mon nouveau maître. Il était grand et jeune, avec un collier de barbe noire (la mode à cette époque-là), et une blouse blanche. Du geste, le barbu me fit signe de me mettre au bout du rang. Nous grimpâmes un escalier aux marches usées par des milliers de chaussures, suivîmes une longue galerie qui conduisait à la classe. Tandis que les autres s'installaient, je restai près du bureau, pensant que le maître, comme à Reillanette, allait devant tout le monde, en manière de présentation, me demander mon nom, mon âge, le pays d'où je venais.

Rien. Il se contenta de jeter un coup d'œil sur la fiche que je lui tendais puis de regarder vers le fond de la salle, pour me chercher une place.

« Là-bas ! à droite... près du radiateur... »

Ce fut tout. Le pupitre à deux places qu'il me désignait était occupé par un seul élève qui avait pris ses aises et utilisait les deux casiers à livres. Le garçon fit la grimace en déménageant ses affaires pour libérer mon casier.

La classe commença. J'étais si désemparé que j'écoutais à peine. Plusieurs fois, je me tournai vers mon voisin, en souriant, pour m'excuser d'avoir restreint son espace. Puis, je m'enhardis à lui demander son nom, espérant que nous ferions connaissance, et pour commencer, je lui donnai le mien.

« Je m'appelle Tidou.

— Moi, Corget, fit-il... simplement, avec un « t » à la fin. »

Il n'ajouta rien; le silence retomba entre nous. Je pensai :

« Le maître est peut-être très sévère pour les bavardages, mais tout à l'heure, à la récréation... »

Non, à la récréation, Corget retrouva ses camarades et, pas plus que le matin, les autres élèves de ma classe ne vinrent vers moi. Ils avaient leurs jeux et continuaient de m'ignorer. Pourtant, ils n'avaient pas l'air méchant; c'était de l'indifférence.

Toute la journée ce fut ainsi. Le soir, à la sortie, j'étais si malheureux que, malgré moi, je m'approchai d'un groupe de garçons qui discutaient, parmi lesquels je reconnus mon voisin Corget. Quand ils me virent avancer, ils se turent et s'éloignèrent. J'eus envie de courir après eux, de leur dire mon chagrin d'être seul. Je n'osai pas.

Alors, je rentrai chez nous, là-haut, au cinquième, dans le minuscule appartement où, depuis que nous étions arrivés, maman continuait à chercher de la place pour ranger toutes nos affaires.

Le soir, dans mon lit, j'eus beaucoup de peine à retenir mes larmes. Je pensais :

« Bien sûr, ici, ce n'est pas comme à Reillanette. Nous sommes trop nombreux dans cette école; il faut du temps pour se connaître. Certainement, demain, ils me parleront; Corget ne m'en voudra plus d'avoir pris la place à côté de lui. »

Mais le lendemain, j'étais toujours un étranger, celui qui vient de loin, qu'on n'accueille

pas volontiers, à qui on n'a pas envie de parler.

Cela dura plusieurs jours. Un soir, j'étais si triste qu'au lieu de rentrer aussitôt chez nous, je fis un détour, au hasard, avec l'espoir de rencontrer peut-être un gamin de mon âge avec qui je pourrais parler. Et, en marchant, je pensais à Reillanette, à Kafi qui m'aurait tenu compagnie s'il avait été là, à mes côtés. Je lui aurais raconté mes ennuis, et il aurait compris. Je me serais assis sur ce banc; il m'aurait écouté, dressant ses oreilles.

Tout à coup, comme je passais devant une grande bâtisse d'où sortait le cliquetis régulier de métiers à tisser, je m'arrêtai, la respiration suspendue. Sur le coussin du siège avant d'une auto arrêtée au coin de la rue, se tenait un chien... un chien qui ressemblait tant à Kafi que pendant quelques secondes je crus que c'était lui. Bouleversé, je restai planté là, fasciné par l'animal qui, assis à la place de son maître, les oreilles tendues, me regardait.

Inquiet de me voir ainsi immobile, devant l'auto, l'animal découvrit ses crocs et grogna sourdement. Je connaissais assez les chiens pour savoir que, même les plus doux, deviennent féroces quand on leur confie la garde d'une voiture qui est, pour eux, une petite maison. Cependant, je lui parlai, essayant de lui faire comprendre, par la douceur de la voix, que je ne voulais pas prendre l'auto de son maître. Il se tut. Enhardi, croyant l'avoir mis en confiance, je m'approchai de nouveau, parlant plus doucement encore, si doucement que

le chien pencha la tête pour mieux entendre. Nous restâmes ainsi un long moment, les yeux dans les yeux, et je crus qu'il voyait dans les miens que j'étais un ami. Alors, j'étendis la main pour le caresser.

Cela se passa si vite que je compris à peine ce qui m'arrivait. Je ressentis une violente douleur au poignet, je poussai un cri. Le chien avait happé ma main et enfoncé ses crocs profondément dans ma chair.

Pendant quelques instants, je restai hébété, les yeux fixés sur mon poignet où perlaient des gouttes de sang. Puis je me mis à courir pour rentrer chez nous. Malgré la douleur qui grandissait, je pris le temps de m'arrêter devant la porte de l'immeuble, pour m'envelopper la main dans mon mouchoir, afin de ne pas

répandre de sang dans l'escalier; tant la concierge me faisait toujours aussi peur. Quand je parvins au cinquième étage, mon mouchoir était tout rouge.

« Mon Dieu! s'écria maman, en devenant blême... un accident?... tu es blessé?... une auto?... »

A peine dans la cuisine, je m'effondrai sur une chaise, à bout de souffle, la tête pleine de vertiges. Par petits bouts de phrases, j'expliquai ce qui m'était arrivé.

« Un chien, fit maman affolée, un chien qui t'a mordu?... »

De frayeur, mon petit frère Geo se mit à pleurer. Elle l'envoya dans la chambre, pour qu'il ne voie pas la blessure puis, lentement, effrayée elle-même, enleva le mouchoir. Je répétais :

« Ce n'est rien, maman, presque rien... »

Devant mon poignet couvert de sang, elle recula.

« Vite, Tidou, il faut aller chez le médecin, à la pharmacie! Si ce chien était enragé?... »

Elle jeta vivement son manteau sur ses épaules, passa le sien à mon petit frère qu'elle n'osait laisser seul dans l'appartement, à cause de ses fenêtres si hautes au-dessus de la rue. Sur le coup, quand le chien m'avait mordu, j'avais ressenti une douleur aiguë, puis, presque aussitôt, plus rien. A présent, la douleur revenait, plus sourde, mais continue. Cependant, je n'osais me plaindre.

Heureusement, le pharmacien n'était pas très

éloigné de la rue de la Petite-Lune. En enlevant le mouchoir serré par maman autour de mon poignet, il fit la grimace.

« C'est un chien, dis-tu, qui t'a fait cette sale blessure?... je vais panser la plaie, provisoirement, mais il faut aller voir un médecin... et sans tarder. »

Tandis qu'il nettoyait la déchirure avec un liquide qui me brûlait comme du feu, il indiqua à maman l'adresse d'un médecin, sur le boulevard de la Croix-Rousse. Comme j'étais très pâle, il me donna à boire quelque chose de très fort, qui devait être du rhum. Alors, on sortit pour aller chez le médecin. A cette heure tardive, celui-ci n'était pas chez lui. Heureusement, tandis que la servante prenait notre nom et notre adresse sur un carnet, pour lui demander, à son retour, de passer chez nous, un homme entra, unc serviette de cuir à la main. C'était le docteur. Il commença par dire qu'il n'avait pas le temps, que nous devrions revenir... ou plutôt qu'il passerait chez nous, plus tard dans la soirée, vers huit ou neuf heures; mais, devant la mine de maman et ma pâleur, il jeta sa serviette sur un meuble et nous fit entrer dans son cabinet.

Ayant défait le pansement tout neuf, il eut la même grimace que le pharmacien.

« Pas beau, ça, pas beau du tout... mon bonhomme, ce n'est sûrement pas un simple roquet qui t'a mordu. »

Il me posa toutes sortes de questions, sur la façon dont l'animal s'était jeté sur moi, sur

l'endroit où cela s'était passé. Je ne me souvenais plus de rien, sauf que c'était un gros chien-loup qui ressemblait à Kafi.

« De toute façon, déclara le docteur en se tournant vers maman, que le chien soit enragé ou non, il faut mener cet enfant à l'hôpital, pour la piqûre.

— A l'hôpital?...

— Le plus tôt sera le mieux. »

Maman s'affola. Elle connaissait encore si mal la ville. Et comment faire avec Geo? Le docteur, qui, au fond, devait être un brave homme, comprit son embarras.

« Au fait, dit-il brusquement, je devais descendre dans la soirée, à l'hôpital, voir un client. Un peu plus tard, un peu plus tôt!... »

Et il nous embarqua dans sa voiture. Mon pe-

tit frère, rassuré à présent, était ravi; il aimait tant monter en auto! Moi, tout le long du trajet, je ne cessais de regarder le gros pansement qui entourait ma main gauche. J'avais toujours très mal mais ce n'était rien à côté de mon chagrin de voir maman si inquiète.

Heureusement, à l'hôpital, ce fut vite fait... si vite, même, que dix minutes après notre arrivée, nous étions de nouveau dans la petite salle de l'entrée, attendant le médecin qui nous avait promis de nous remonter à la Croix-Rousse. Il était déjà tard, très tard, maman commençait à s'inquiéter, non plus pour moi, puisqu'on l'avait rassurée, mais à cause de papa qui allait rentrer et trouverait la porte fermée.

Il était plus de sept heures quand le médecin reparut. Un quart d'heure plus tard, nous arrivions dans la rue de la Petite-Lune. En haut, sur le palier du cinquième, mon père nous attendait, inquiet. Ayant trouvé porte close et aperçu quelques gouttes de sang sur les marches, il avait tout de suite pensé à un accident et avait dégringolé les cinq étages pour questionner la concierge qui n'avait rien pu lui dire. Alors, il était remonté, anxieux, et attendait.

« Ce n'est rien... rien de grave », fit tout de suite maman.

A ma place, elle raconta ce qui m'était arrivé, en essayant de réduire l'affaire à un simple coup de dent d'un chien que j'avais voulu caresser, en passant, dans la rue. Soulagé de voir qu'en effet, ce n'était pas très grave, mon père

« Et tout ça bien sûr, à cause de Kafi. »

se contenta de hocher la tête mais, pendant le souper, en apprenant qu'il avait fallu aller à la pharmacie, puis chez le médecin et finalement à l'hôpital, il s'emporta presque.

« A ton âge! Tidou, comme si tu ne savais pas qu'on ne doit jamais caresser un chien inconnu. Ma parole, on dirait que tu le fais exprès. Nous n'avons donc pas assez de frais, en ce moment, avec notre installation?... et tout ça, bien sûr, à cause de Kafi. »

Et il se mit à frapper du poing sur la table, jurant que c'était ridicule et, que jamais, même si les concierges toléraient les bêtes, un chien n'entrerait chez nous.

Je baissai la tête et ne répondis pas... Ce soir-là, dans mon lit, ce ne fut pas ma main endolorie qui m'empêcha de dormir. Plus jamais je ne reverrais mon cher Kafi; c'était pire.

CHAPITRE IV

LE TOIT AUX CANUTS

JE DUS rester deux jours sans aller en classe, à cause de mon bras douloureux. Quand je revins à l'école, avec ce gros pansement qui dépassait ma manche gauche, je me sentis gêné, honteux. Qu'allais-je dire à mes camarades s'ils me demandaient une explication? Car je ne voulais pas avouer que je m'étais fait mordre par un chien; c'était trop stupide.

J'avais tort de me tracasser. Quand j'entrai dans la cour, presque tous les élèves jetèrent

un coup d'œil sur ma main, mais aucun d'eux ne me questionna et le maître, lui-même, quand nous entrâmes en classe, se contenta de dire :

« Encore un maladroit qui se tape sur la main, au lieu d'enfoncer le clou. Dieu merci, c'est la main gauche, tu pourras tout de même écrire. »

Et je retrouvai ma place, bien chauffée par le radiateur près du pupitre, mais qui, pour moi, demeurait glacée. Est-ce que toute l'année ce serait ainsi? Oh! que je détestais cette ville sans soleil, si hostile, qui se refermait devant moi comme, à Reillanette, se refermaient certaines plantes sauvages dès qu'on les effleurait.

Pourtant, à plusieurs reprises, je vis bien que mon pansement intriguait Corget qui jetait, sur ma main, des regards curieux. Le maître venait d'expliquer un problème et nous prenions nos cahiers quand il me demanda :

« Comment t'es-tu fait cela?... avec un marteau? »

J'eus envie de dire : oui. Quelque chose me retint. Après tout, pourquoi avoir honte?

« Non, pas avec un marteau... c'est un chien qui m'a mordu. »

Alors, Corget, qui m'avait à peine regardé en posant sa question, se tourna vers moi avec un air bizarre.

« Un chien?... Que lui avais-tu donc fait?

— Rien, je voulais seulement le toucher, je ne le croyais pas méchant. »

Corget n'ajouta rien. D'ailleurs, à ce moment, le maître tournait la tête de notre côté. Le si-

lence retomba entre nous... et il dura jusqu'à la sortie. Mais en rentrant, l'après-midi, comme s'il reprenait une conversation interrompue depuis quelques instants, Corget se tourna vers moi :

« Les chiens... tu ne les aimes pas? »

La question me parut si étrange, de la part de ce garçon qui ne s'intéressait pas à moi, que je le regardai à mon tour.

« Pourquoi me demandes-tu ça?

— Parce que, les chiens, quand on les aime, ils ne mordent pas; tout le monde le sait. »

Je ne répondis pas, car Corget avait parlé presque à haute voix, sans s'en rendre compte, et le maître nous regardait de nouveau. Au bout d'un moment, je repris :

« C'est vrai, mais celui-là était assis sur le siège d'une auto qu'il gardait... c'est pour ça. »

Ma réponse parut satisfaire mon voisin qui eut un soupir, comme un soupir de soulagement. Il ajouta :

« Comment était-il?

— Un chien-loup. Je m'étais approché pour le caresser... parce qu'il ressemblait à celui que j'ai laissé là-bas, à Reillanette.

— Où donc?

— A Reillanctte, mon village, près d'Avignon.

— Tu avais un chien-loup?

— Il s'appelait Kafi. Je l'aimais beaucoup, mais la concierge, ici, ne voulait pas de chiens dans l'immeuble; il a fallu le laisser là-bas. »

Je n'en dis pas plus, le maître venait d'ouvrir

son livre et commençait la lecture de la dictée. Mais j'étais heureux; Corget m'avait parlé, il s'était intéressé à ce que je disais, je ne me sentais plus tout à fait un étranger. Du coup, cet après-midi de classe me parut beaucoup moins long que les précédents. Le soir, je rangeais mes affaires dans mon casier quand Corget, qui ne m'avait plus rien dit, se pencha vers moi.

« Tout à l'heure, à la sortie, tu m'attendras... »

J'en restai tout étonné, ne pouvant croire encore qu'il voulait bavarder avec moi. Je bouclai mon cartable à la hâte. Pendant quelques instants, sur les galeries et dans les couloirs ce fut la bousculade habituelle et, malgré mes efforts pour ne pas perdre Corget de vue, il disparut, happé par le tourbillon. Je l'attendis

dehors, sur le trottoir, le cherchai parmi les petits groupes de gamins qui discutaient avant de se séparer. Avait-il oublié?

Enfin, je le vis se détacher d'une bande, celle dont j'avais voulu m'approcher, le premier jour.

« Viens! » dit-il.

Nous marchâmes un moment, silencieux, lui sifflotant, moi, me demandant toujours ce qu'il me voulait.

« Alors, tu aimes les chiens? fit-il.

— Oui.

— Moi aussi. J'en ai eu un autrefois, il y a quatre ou cinq ans, pas un gros chien comme le tien, ça mange trop,... un petit chien mais intelligent,... je lui avais appris toutes sortes de choses, à se tenir sur les pattes de derrière, sur celles de devant, à passer dans un cerceau... et puis, un jour, il s'est fait écraser... oh! bêtement, pas par une auto, par un sac de charbon tombé d'un camion, juste au virage de la rue Pilate... Je l'ai pleuré longtemps... et encore maintenant quand j'y pense... »

En parlant, il m'entraînait le long de petites rues qui s'éloignaient plutôt de la mienne. Je lui demandai :

« Où allons-nous?

— Tu ne connais pas le Toit des Canuts?

— Non!

— C'est une petite place, plutôt une terrasse. On a une vue formidable sur toute la ville. Il paraît qu'autrefois, les canuts du quartier, qui n'avaient pas le droit de fumer dans l'atelier,

venaient là, de temps en temps, bourrer une pipe, en regardant la ville, au-dessous. C'est pour cela qu'on l'appelle le Toit aux Canuts... »

Je regardai Corget; pendant une semaine, il ne m'avait rien dit et voilà qu'il devenait presque bavard, que son visage fermé se faisait souriant. Tout à coup, au bout d'une montée, comme on appelle à Lyon ces nombreuses ruelles, faites par moitié d'un escalier et d'une pente glissante comme un toboggan, nous arrivâmes sur un petit tertre bordé d'une murette.

« C'est là, fit Corget, regarde! »

La nuit tombait; la ville entière s'illuminait sous nos pieds. Mon camarade étendit le bras, me montra le Rhône et la Saône, ou plutôt les couloirs d'ombre qui marquaient leur place entre les lumières, puis prononça des noms... des noms qui pour moi ne disaient pas grand-chose.

« C'est beau, hein?... sûrement plus beau que le patelin d'où tu viens! »

Je le regardai encore, surpris de cette joie qu'il éprouvait à me faire découvrir sa ville. Etait-ce pour cela qu'il m'avait fait venir jusqu'ici?... Hélas! je ne pouvais pas partager son plaisir. Vu de la colline qui domine la rivière, Reillanette, avec ses oliviers d'argent, ses grands cyprès noirs, me paraissait mille fois plus beau que ce paysage infini de toits et de cheminées que les lumières ne parvenaient pas pour moi à rendre moins triste. Mais je ne voulais pas faire de la peine à mon nouveau camarade; je murmurai :

« Oui, c'est grand, beaucoup plus grand que mon pays. »

Alors Corget vint s'asseoir sur le rebord du petit mur, ses jambes pendant dans le vide, et je l'imitai. Encore une fois il promena son doigt devant nous, s'arrêtant sur des grappes de lumières, prononçant d'autres noms. Puis, tout à coup, il pencha la tête en avant, comme s'il regardait le bout de son pied battant le vide et demeura silencieux. J'attendis. Enfin, à mi-voix, il dit :

« Si je viens souvent ici, ce n'est pas seulement parce que c'est beau; les gens y promènent leurs chiens; ça me rappelle celui que j'avais, quand j'étais petit... Le tien, comment s'appelait-il?

— Kafi!

— Un drôle de nom!

— C'est celui du vieil Arabe qui me l'a donné.
— Qu'en as-tu fait avant de partir?... donné à quelqu'un?
— Non, pas donné, seulement laissé en garde... il est toujours à moi. »
Corget fronça les sourcils, se gratta le menton et se tut un long moment. Puis, brusquement, il se tourna vers moi.
« Et tu n'aimerais pas le retrouver?
— Je te l'ai dit; notre concierge ne veut pas de chiens dans la maison... et puis chez nous, c'est si petit. »
Corget se frotta encore le menton. Je voyais bien qu'il réfléchissait à quelque chose mais je ne pouvais pas deviner.
« Et si nous trouvions un moyen, fit-il, un endroit pour le garder. Moi aussi j'aime les bêtes. Tu le ferais venir, nous le soignerions, il serait un peu à nous deux.
— Mais où le cacher? C'est un gros chien, il a besoin d'une grande niche, de beaucoup de nourriture.
— Pour la niche ce ne sera pas difficile, je connais un endroit épatant, un sous-sol abandonné... viens voir, c'est près du Toit aux Canuts. »
Il sauta à bas de la murette. Nous descendîmes une ruelle; il me désigna une vieille bâtisse.
« C'est là, la maison n'est plus habitée; elle sert d'entrepôt à un « soyeux », mais au sous-sol, on ne met rien, par crainte de l'humidité... pourtant, ce n'est pas humide, tu vas voir. »

Ce sous-sol abandonné n'avait pas de porte; il entra à tâtons.

« Bien sûr, de nuit, tu ne peux pas voir grand-chose, mais ce n'est pas la place qui manque... et tu peux sentir, pas la moindre odeur de moisi.

— Et pour le nourrir?

— On s'en occuperait tous... je veux dire ceux de la bande.

— Quelle bande?

— Ah! oui, tu ne sais pas... on est une dizaine de bons camarades dans le quartier, nous nous entendons bien. Les autres nous appellent « la bande du Gros-Caillou »... mais tu ne sais peut-être pas non plus ce qu'est le Gros-Caillou? »

Si, je connaissais déjà, sur le boulevard de la Croix-Rousse, cette curiosité de Lyon, une énorme pierre transportée là, paraît-il, par les glaciers des Alpes, il y a des milliers d'années.

« Oui, continua Corget, on nous a donné ce nom parce que, le jeudi, il nous arrive souvent de nous donner rendez-vous, là-haut, sur le boulevard, pour jouer au ballon ou faire du patin à roulettes... un ballon et des patins qu'on s'est achetés nous-mêmes, en se cotisant, parce que ça coûte cher. Avec toute la bande, ton chien ne manquerait de rien.

— Tu crois vraiment?

— J'en suis sûr... tiens, si tu veux, demain, je leur en parlerai. »

L'idée était merveilleuse; cependant, j'hésitai. D'abord, cette bande qui m'avait tenu à l'écart m'effrayait un peu... et puis, Kafi avait toujours

été mon chien à moi, rien qu'à moi. Je n'avais pas envie de le partager avec d'autres. Je crois que Corget comprit la raison de cette hésitation. Il n'insista pas.

« Bien sûr, fit-il, c'est simplement une idée qui m'est passée par la tête, comme ça, ce matin... mais ce serait si chic d'avoir un chien, dis, Tidou! »

C'était la première fois qu'il m'appelait Tidou. Cela me bouleversa. Je le regardai. Ses yeux brillaient. Il aimait les bêtes, comme moi, il pouvait devenir mon ami. Il m'était difficile de ne pas accepter pour lui... et pour moi aussi. Je serais si heureux de retrouver mon brave Kafi.

Tout à coup, je m'aperçus qu'il était tard, que maman m'attendait, se demandant s'il ne m'était pas encore arrivé un accident. Je serrai la main de Corget, très fort.

« Oui, ce serait si chic s'il venait!... »

Et je partis en courant.

CHAPITRE V

LA BANDE DU « GROS-CAILLOU »

J'ÉTAIS si bouleversé que, ce soir-là, pendant le repas, mon père me demanda à plusieurs reprises pourquoi je ne tenais pas en place sur ma chaise. Je cachai mon embarras en parlant de ma blessure qui me cuisait. C'était d'ailleurs vrai; en se cicatrisant, la plaie me donnait des démangeaisons, mais celles-ci étaient supportables. En réalité, je ne pensais qu'à Kafi. Mon nouveau camarade avait ranimé en moi une lueur d'espoir. Sur le coup, j'étais resté indécis,

préférant garder mon chien pour moi seul mais, je le comprenais bien, c'était impossible. Alors, j'accepterais.

Le soir, quand maman vint me dire bonsoir, dans mon lit, j'eus envie de tout lui dire, j'étais sûr, qu'au fond d'elle-même, sa joie de revoir Kafi aurait été presque aussi grande que la mienne, mais l'emportement de mon père, l'autre soir, m'avait affolé. Même si Kafi ne devait jamais pénétrer dans la maison, papa me gronderait peut-être? Alors, je me tus et j'en eus beaucoup de peine.

Le lendemain, je partis pour l'école, non plus triste comme les autres jours, mais tout de même un peu inquiet. Comment allais-je retrouver Corget? La veille je l'avais quitté assez brusquement. Avait-il changé d'idée durant la nuit?... Avait-il parlé de moi et de mon chien devant la bande du « Gros-Caillou »?

Quand j'arrivai devant la porte de l'école, Corget n'était pas encore là. Je ne l'aperçus pas non plus dans la cour. Il était pourtant vite reconnaissable avec son gros pull-over de laine chinée, rouge et vert. Il arriva en courant, juste au moment où nous nous mettions en rang. Je tournai les yeux vers lui mais, malgré l'insistance de mon regard, il ne parut pas faire attention à moi.

Nous nous retrouvâmes côte à côte, en classe, à notre banc. Il me sembla qu'il avait repris son air des premiers jours, son air de garçon qui ne s'intéresse guère à ce qui se passe autour de lui, mais tout à coup, il se pencha vers moi.

« Alors... tu as réfléchi?

— Oui!

— Nous sommes d'accord?

— D'accord! »

Il poussa un léger soupir de satisfaction et ajouta :

« Alors, tout à l'heure, nous en reparlerons. »

Et le travail commença, ainsi que d'habitude, comme si nous ne nous connaissions pas, mais à la récréation, (je me demande encore comment il s'y était pris pour avertir les autres), toute la bande des « Gros-Caillou » se trouva réunie, sous le préau, autour de moi.

Ils étaient une bonne dizaine, presque tous des gamins de mon âge, sûrement pas des gosses de familles riches, rien qu'à voir leurs vêtements et surtout leurs chaussures.

« Je vous amène Tidou, le nouveau, fit Corget, je le connais, hier soir nous avons parlé tous deux sur le Toit aux Canuts... Vous ne savez pas qui lui a fait cette blessure à la main? »

Tous les yeux s'abaissèrent sur mon pansement puis remontèrent vers le visage de Corget pour y trouver une explication.

« C'est un chien qui lui a fait ça, un gros chien-loup... pareil au sien qu'il a laissé dans son patelin quand il est venu à Lyon, un chien qu'il voulait caresser parce que, justement, il ressemblait à l'autre.

— Ah! firent deux ou trois voix un peu déçues... et alors?

— Alors, reprit Corget, nous avons pensé, Tidou et moi, qu'on pourrait peut-être faire ve-

nir son chien. Il s'appelle Kafi et il n'est pas méchant. J'ai trouvé un endroit où on le nicherait, dans une vieille maison, au bas de la Rampe des Pirates... Seulement, un chien comme celui-là ne grignote pas que des miettes, vous pensez. Il faudrait tous nous en occuper... Qu'en pensez-vous? »

Cette fois, les visages s'épanouirent. Un chien!... un chien qu'on emmènerait en promenade, qu'on soignerait, qui deviendrait un ami! L'idée était magnifique.

« Qui est d'accord? » demanda Corget.

Toutes les mains se levèrent. Je ressentis un petit pincement au cœur en voyant ainsi, par avance, Kafi partagé entre de si nombreux nouveaux maîtres, mais je savais bien que, malgré tout, je serais toujours son préféré... et puis, surtout, je sentais qu'il ne serait pas malheureux.

Ainsi, grâce à lui, je me trouvais admis dans cette bande qui, à présent, puisqu'elle aimait les bêtes, me paraissait sympathique.

Mais comment trouver le moyen de faire venir Kafi à Lyon? Sur le moment, personne n'avait pensé aux difficultés. Plusieurs « Gros-Caillou » proposèrent de vendre le ballon et les patins à roulettes. Ainsi, on pourrait payer mon voyage à Reillanette. Mais, pour moi, c'était chose quasi impossible. Je devais partir très tôt, le matin, rentrer très tard, le soir, si même le voyage était faisable dans une seule journée. Quant à envoyer un autre « Gros-Caillou », c'était délicat. Kafi aurait-il voulu le suivre?

« C'est vrai, reconnut Corget, quand on se retrouva sur le Toit aux Canuts, ça paraissait tout simple... pourtant, je suis sûr qu'il y a un moyen. »

Ce moyen, je le trouvai dans mon lit, avant de m'endormir. Fréquemment, de gros camions de légumes ou de primeurs, venant du Midi et montant vers Lyon, passaient à Reillanette. Souvent, les chauffeurs de ces poids lourds s'arrêtaient au café, chez Costellou, qui avait été « poids lourd » lui aussi, avant son accident. J'écrirais à mon camarade Frédéric Aubanel, je lui demanderais (puisque le café était proche de la boulangerie) de parler à un de ces chauffeurs qui se chargerait peut-être de prendre Kafi à son bord. Il me suffirait de savoir l'endroit où la voiture s'arrêtait, à Lyon, afin que je puisse venir attendre Kafi. Oui, c'était simple, et cela ne nous coûterait rien, ou presque rien, seulement le pourboire à glisser au chauffeur.

Le lendemain, j'écrivis donc à Frédéric une longue lettre, la seconde depuis que j'étais arrivé à Lyon, mais celle-ci n'était plus triste comme l'autre. Je lui parlai de l'école, des « Gros-Caillou », lui expliquai en détail comment il devrait s'y prendre :

« Dès que tu auras trouvé quelque chose, Frédéric, écris-moi vite. Oh! si tu savais ma hâte de retrouver mon brave chien. »

Par exemple, grand fut mon embarras au moment de lui dire où il devrait m'adresser sa lettre. Je ne voulais pas qu'elle arrive chez moi. Oh! non, je n'avais pas l'impression de faire

quelque chose de mal. Je suis sûr, même, que maman aurait compris et peut-être que mon père, lui aussi, n'aurait rien dit; mais puisque, de toute façon, Kafi ne devait pas entrer dans la maison, inutile de les contrarier.

Avant d'expédier ma lettre, je dus attendre d'avoir revu les « Gros-Caillou ». L'un d'eux, nommé Gerland, qui avait perdu son père et dont la mère travaillait dans une usine, déclara que c'était toujours lui qui ouvrait la boîte aux lettres en rentrant de classe. Je n'avais qu'à donner son adresse.

Alors, pour moi et pour la bande des « Gros-Caillou », commença une attente qui parut interminable. Au bout de trois ou quatre jours on se mit à guetter avec impatience, à chaque rentrée de l'après-midi, l'arrivée de Gerland, qu'on appelait Gnafron parce que, au rez-de-chaussée de sa maison, se trouvait une boutique de cordonnier. Mais Gnafron secouait la tête; il n'avait encore rien trouvé dans sa boîte aux lettres. Pour nous, Kafi était devenu une sorte de personnage extraordinaire dont la venue allait bouleverser la vie de la bande du Gros-Caillou. Aux récréations, à la sortie, on me posait toutes sortes de questions sur lui : quelle était sa taille, son poids, la couleur de ses oreilles, de sa queue, les os qu'il préférait, s'il aboyait la nuit, s'il poursuivait les chats, et beaucoup d'autres choses encore, auxquelles j'étais parfois embarrassé pour répondre. Cela aurait dû me rendre jaloux. Eh bien, non; je me sentais au contraire rassuré pour Kafi. Je pardonnais aux petits

Lyonnais leur indifférence et leur froideur des premiers jours. Ils ne ressemblaient pas aux gamins de Reillanette mais, à présent, je sentais que je pouvais réellement devenir leur camarade. Ce qui me mettait à l'aise aussi, c'était de constater qu'ils n'étaient pas des enfants de riches. A Reillanette, je m'étais fait des idées sur la ville. Je croyais que dans une ville, dans une grande ville surtout, tout le monde était riche. Hélas! les « Gros-Caillou » habitaient de grandes bâtisses délabrées, comme la mienne, et même, souvent, ils n'avaient personne pour s'occuper d'eux, à la maison... C'est peut-être pour cela qu'ils étaient si heureux d'avoir un chien dont ils pourraient s'occuper, eux, en manière de compensation.

Enfin, un jour, Gnafron arriva triomphant, brandissant une lettre. En un clin d'œil la bande se précipita.

« Tu ne l'as pas lue, au moins? » demanda Corget.

Gnafron frotta sa tignasse qui ne devait pas souvent passer chez le coiffeur. Il rougit. Mais les « Gros-Caillou » avaient juré de ne jamais se mentir entre eux.

« Si, avoua-t-il, je n'ai pas pu m'en empêcher... mais j'ai tout de suite recollé l'enveloppe. »

Il me tendit la lettre, et, la voix tremblante, je lus. Frédéric expliquait qu'il n'avait pas voulu répondre avant de savoir si le projet était réalisable; il ne pouvait faire disparaître Kafi, ainsi, sans en parler à son père. Celui-ci avait

trouvé notre idée amusante et il avait consenti. Alors, Frédéric avait attendu le passage d'un « poids lourd » et il en avait trouvé un qui voulait bien se charger de prendre Kafi à son bord.

« Tu sais, expliquait-il, il s'agit de celui qui, l'an dernier, avait perdu sa blague à tabac, sur la place; tu te souviens, nous la lui avions retrouvée au pied d'un platane. Il a accepté. Il monte à Lyon chaque semaine avec un chargement de légumes. Il décharge sa marchandise quai Saint-Vincent. Il paraît que c'est au bord de la Saône, pas très loin de la Croix-Rousse, tu parles d'une chance! Donc, la semaine prochaine, mercredi, je lui confierai Kafi. Tu retrouveras ton chien en bon état; je l'ai bien soigné, tu sais... et même ça me fait de la peine, à présent, de m'en séparer... Le camion sera à Lyon entre cinq et six heures du soir, plutôt six

si la route est mouillée, mais sûrement avant sept. Tu n'auras qu'à te trouver quai Saint-Vincent devant les « Entrepôts du Sud-Est ». Le chauffeur a dit que c'était écrit en grosses lettres rouges sur la porte. Si, par hasard, tu ne pouvais être là, il laisserait Kafi au patron du café, à côté. »

Frédéric avait donc tout prévu, tout arrangé. On était vendredi. Dans cinq jours, donc, Kafi serait là. La bande devint folle de joie. Le soir même, elle se retrouva au bas de la Rampe des Pirates où l'installation de Kafi était prévue. Des camarades avaient apporté des planches, des morceaux de contre-plaqué, des scies, des clous, des vis, de la paille. Il y avait assez de bois pour construire un chalet et assez de paille pour faire une meule, tout cela pour une simple niche. On fabriqua aussi une porte avec un ingénieux système de fermeture que personne d'autre que nous ne pourrait manœuvrer.

« Si tu veux, déclara Corget, nous ne t'accompagnerons pas, mercredi, pour chercher ton chien. Nous t'attendrons ici. »

Rien ne pouvait me faire plus plaisir que d'être seul pour retrouver Kafi, lui faire comprendre que, désormais, il aurait plusieurs petits maîtres avec lesquels il devrait se montrer très gentil.

Je sus plus tard que les « Gros-Caillou » en avaient décidé ainsi ensemble pour que je voie bien qu'ils n'avaient pas l'intention de l'accaparer complètement.

Mais cinq jours c'était long. Chaque matin,

j'avais peur de voir le petit Gnafron apporter une nouvelle lettre de Frédéric, disant que sa combinaison ne pouvait se réaliser. Le soir, dans mon lit, je me faisais toutes sortes d'idées : Kafi ne voudrait pas partir avec le chauffeur... ou bien le chauffeur ne passerait pas à Reillanette... ou encore le camion aurait un accident en route, et j'en avais des cauchemars pendant toute la nuit. Presque chaque soir, pendant que maman était occupée par le souper et par mon petit frère, je descendais sur le quai Saint-Vincent comme si cela pouvait faire arriver le camion plus tôt, et je lisais et relisais la pancarte en grosses lettres rouges « Entrepôts du Sud-Est ». Enfin, mercredi arriva.

CHAPITRE VI

QUAI SAINT-VINCENT

CE MATIN-LA, je m'éveillai plus tôt que d'habitude. Aussitôt je pensai :

« Aujourd'hui!... c'est aujourd'hui qu'il arrive! »

En même temps, regardant par la fenêtre, je me sentis inquiet. Dans le ciel, encore obscur, le jour semblait ne jamais devoir se lever. Le brouillard!... Oui, le brouillard, j'en avais déjà entendu parler, mais je ne le connaissais pas. A Reillanette, personne n'avait jamais vu de

brouillard. Là-bas, on disait que le mistral le guettait dans le défilé de Donzère pour le chasser vers la mer.

Dehors, je restai saisi. Quelle étrange chose que le brouillard! Je reconnaissais à peine le chemin de l'école. A travers ce voile gris, les hautes maisons, dont on ne distinguait plus le toit, paraissaient deux fois plus hautes et les rues n'avaient plus de fin. Les autos passaient, phares allumés, pareils à de gros yeux jaunes, et roulaient sans bruit, comme sur du coton. Sur les trottoirs, les gens emmitouflés, le cache-nez remonté jusqu'aux yeux, surgissaient et s'évanouissaient brusquement, ainsi que des ombres.

« C'est souvent comme ça, ici, en novembre, m'expliqua Corget, quand je le retrouvai à l'école.

— Mais, le camion, crois-tu qu'il va venir, malgré tout?

— Ne te tracasse pas, quand le brouillard tombe, c'est seulement sur la ville... ce sont les fumées qui l'attirent. »

Cette explication ne me rassura qu'à demi. Vingt fois, dans la journée, je levai les yeux vers le haut de la fenêtre pour voir si les cheminées, de l'autre côté de la rue, devenaient plus nettes.

A la sortie du soir, hélas! le brouillard était toujours là, épais, gluant, glacé.

« File vite, dit Corget, nous t'attendrons tous au bas de la Rampe des Pirates. »

Je rentrai à la maison en courant. Maman,

descendue en ville avec Geo pour lui acheter une culotte, n'était pas encore rentrée. Tant mieux! Je trouvai la clef de l'appartement sous le paillasson. Mon cartable jeté sur une chaise, je repartis en courant... Je débouchai sur le quai. On ne voyait plus l'autre rive de la Saône. Je n'aperçus l'enseigne rouge des Entrepôts du Sud-Est qu'au moment où j'arrivais devant. Aucune voiture le long du trottoir. Les portes de l'entrepôt étaient grandes ouvertes. Un homme soulevait des caisses pour les ranger. Je lui demandai si le camion était arrivé.

« Quel camion?

— Celui qui vient du Midi.

— C'est que, mon petit gars, il y en a parfois plusieurs.

— Celui qui arrive tous les mercredis, entre cinq et six heures.

— Ah! tu veux parler de Boissieux, qui vient de Châteaurenard... non, mon gars, pas encore là... mais il ne tardera pas. Ces gens-là, le brouillard ne les gêne guère, ils ont l'habitude. »

Rassuré, je m'éloignai et me mis à faire les cent pas, le long du quai. L'humidité du brouillard me pénétrait. Je remontai le col de mon manteau qui ne me tenait plus très chaud; je le portais depuis deux ans et il m'arrivait à peine au genou. Tant pis, j'allais retrouver Kafi, j'étais heureux, et la ville, pourtant si triste, me paraissait presque souriante. Je me voyais déjà, remontant vers la Croix-Rousse avec mon chien qui gambadait de joie, sautant après moi pour me lécher le visage.

Tout en arpentant le quai, je surveillais le trafic, tressaillant au passage de chaque gros camion. Non, pas encore lui! J'avais emporté une montre, une vieille montre que m'avait prêtée un « Gros-Caillou », mais inutile. Tout près, j'entendais l'horloge d'une église perdue dans le brouillard.

Six heures! Pas encore là! Je continuai de faire les cent pas le long du parapet, en m'éloignant chaque fois de moins en moins. Six heures et demie!... Je commençai à m'inquiéter. Pourtant, avec ce brouillard, un retard n'avait rien d'étonnant, je voyais bien que toutes les voitures roulaient plus lentement.

Au lieu de continuer à battre la semelle sur le trottoir, je restai planté contre le parapet ruisselant d'humidité, face aux entrepôts et au café qui avait comme enseigne *Au Petit Beaujolais.* Sept heures! Cette fois, mon inquiétude devint de l'angoissse. Soudain, mon cœur se mit à battre, non pas de joie mais de peur. Le gardien de l'entrepôt était en train de fermer les portes du magasin. Je traversai le quai en courant et le rejoignis au moment où il fixait une barre de fer pour assurer la solidité de la clôture.

« Oh! M'sieur! vous fermez déjà? »

L'homme me regarda en riant.

« Il est sept heures, ma journée est finie!

— Mais... le camion?

— Ne t'inquiète pas. Boissieux a une clef. Il en sera quitte pour décharger seul sa cargaison... Bonsoir, mon petit gars! »

Il fourra la clef dans sa poche et s'éloigna. Je

restai atterré. Il fallait que je rentre. Avant de m'en aller je voulus voir le patron du café, lui expliquer que le chauffeur des Entrepôts du Sud-Est devait m'amener un chien, lui demander de me le garder en attendant que je revienne le chercher.

Mais, juste à ce moment-là, Corget et Gnafron débouchèrent d'une petite rue. Ils avaient attendu, là-haut, avec les autres, jusqu'à sept heures. Ne voyant rien venir, ils avaient dégringolé vers le quai. Vivement, je leur expliquai ce qui se passait.

« Ne t'inquiète pas, dit Gnafron, je pourrai rester à ta place. Chez moi, personne ne m'attend, ma mère est partie cet après-midi pour Trévoux, à l'enterrement d'une tante. Elle ne rentrera que demain soir. Je peux demeurer là jusqu'à neuf heures... et même dix, s'il le faut. Tu penses qu'à ce moment-là Kafi sera arrivé. »

Pour me rassurer complètement, il promit, lorsqu'il remonterait vers la Rampe des Pirates avec le chien, de passer par la rue de la Petite-Lune et de m'avertir.

« Tiens, fit-il, comme ça ! »

Il enfonça deux doigts dans sa bouche et lança un coup de sifflet strident à percer les oreilles d'un sourd. Avant de remonter chez moi, je tendis à Gnafron quelques morceaux de sucre qu'il donnerait à Kafi pour le mettre en confiance.

Je partis en courant, laissant aussi Corget, qui tiendrait compagnie à Gnafron, un moment, jusqu'à huit heures.

Occupée par Geo qui souffrait d'une rage de dents, maman ne s'aperçut pas que j'étais en retard et, par chance, mon père n'était pas encore rentré. Il arriva quelques instants plus tard et on passa à table. J'avais beaucoup de peine à cacher mon émotion.

« Est-ce le brouillard qui t'énerve ainsi? » fit mon père.

A chaque bruit montant de la rue, je sursautais. Un moment, croyant avoir reconnu le sifflet de Gnafron, je me levai pour aller à la fenêtre. Ce n'était qu'une vieille voiture ferraillante qui descendait la rue grinçant des freins. Je me remis à table, penaud; mon père me fixa dans les yeux un long moment et haussa les épaules, mais ne dit rien.

Sitôt dans ma chambre, je me déshabillai mais, la tête sur l'oreiller, on entend mal. Je

restai assis sur mon lit. Chaque minute qui passait augmentait mon désarroi. Neuf heures sonnèrent au coucou de la cuisine, puis neuf heures et demie, puis dix heures. Mes parents étaient couchés à présent, tout était silencieux dans l'appartement. Alors, je me levai, entrebâillai ma fenêtre pour être sûr d'entendre l'appel de Gnafron. Au lieu de me recoucher, je restai là, en chemise de nuit, grelottant, dans le froid et le brouillard qui entraient. Onze heures sonnèrent à une église de la Croix-Rousse. Transi, je me décidai à regagner mon lit. Pour me rassurer, je me dis que Gnafron avait dû passer au moment du repas, pendant que Geo tapait le fond de son assiette avec sa cuiller, mais je sentais bien que je n'y croyais guère. Par la fenêtre restée entrebâillée, je continuai de tendre l'oreille aux bruits du dehors, car je ne voulais pas m'endormir, mon cœur était trop serré. Couché sur le côté, la tête sur le poing, recroquevillé sous mes couvertures, j'attendais toujours, luttant de toutes mes forces contre le sommeil. Mais j'étais trop las, je m'endormis comme une masse; il était plus de minuit.

... Quand je m'éveillai, je vis tout de suite, à la lueur qui pénétrait dans la chambre, qu'il était plus tard que d'ordinaire. La tête lourde, je cherchais à rassembler mes souvenirs quand maman entra, m'apportant mon café au lait comme elle faisait chaque jeudi.

« Oh! Tidou!... tu as dormi ainsi, la fenêtre grande ouverte, par ce temps de chien. »

Dans mon cerveau encore tout embrouillé je

n'entendis que le mot « chien ». Je me dressai sur mon oreiller.

« Le chien?... Kafi?... où est-il?... »

Maman sourit, pensant qu'en rêvant je m'étais encore cru à Reillanette.

« Mon pauvre Tidou, c'est le froid qui t'a fait faire des cauchemars. Ah! ces fenêtres qui ferment mal... tu n'as pas pris froid, au moins? »

J'avale vivement mon déjeuner et me lève. Le jeudi matin, c'est toujours moi qui fais les commissions. Il m'est facile de descendre en même temps sur le quai. Mon sac à bout de bras, je dégringole l'escalier, manquant de renverser la concierge qui monte au troisième, mais j'entends à peine les injures qu'elle me lance, je suis déjà en bas.

A peine dehors, j'aperçois Corget qui monte la rue de la Petite-Lune, venant sans doute me rassurer. De loin, je crie :

« Kafi?... »

Corget fait un signe de la main et secoue la tête. Kafi n'est pas arrivé hier soir. Gnafron, que Corget vient de voir, est resté sur le quai jusqu'à onze heures. Le camion n'était toujours pas là. Gnafron aurait pu l'attendre davantage encore mais il avait si froid, si faim, qu'il est rentré chez lui.

« Ne te tracasse pas, fait Corget en me donnant une tape sur l'épaule, si le camion n'est pas arrivé, c'est sans doute qu'il n'est pas parti; il viendra peut-être aujourd'hui. »

Corget a raison, j'ai eu tort de me tracasser. D'ailleurs, nous serons vite fixés. Si Kafi n'a pas quitté Reillanette, Frédéric m'aura sûrement écrit hier soir, avant la levée de la poste, à sept heures, et une lettre, partie hier de là-bas, doit arriver aujourd'hui.

Pourtant, j'ai hâte de savoir. En courant, nous dévalons vers le quai. C'est étrange, à mesure que nous approchons, je sens à nouveau ma poitrine se serrer, comme si je pressentais une catastrophe.

Deux camionnettes, devant la porte des entrepôts, embarquent des cageots de légumes; je ne reconnais pas le gardien de la veille. Celui-ci est moins accueillant que l'autre. Nous lui demandons pourquoi le camion de Châteaurenard n'est pas arrivé hier soir.

« Pas arrivé? fait l'homme. Tenez, regardez. »

Il désigne, dans un coin, plusieurs grandes caisses à claire-voie sur lesquelles, en effet, nous lisons, en lettres noires : Châteaurenard. Mon sang se glace.

« Et mon chien?

— Quel chien?

— Le chauffeur, M. Boissieux, devait m'amener mon chien, je l'attendais hier soir.

— Tout ce que je peux te dire, c'est que ce matin, en ouvrant, je n'ai pas trouvé de chien dans la baraque... heureusement, car moi, je n'aime pas les cabots, je l'aurais fait filer. »

Corget et moi, nous nous regardons, consternés. Il ne nous reste plus qu'un espoir : le pa-

tron du Petit-Beaujolais. Nous le trouvons, dans sa salle de café, en train de balayer sous les tables. Lui, au moins, a un bonne tête, une tête toute ronde, presque chauve, et une petite moustache noire, pointue aux deux bouts. Je lui demande si, par hasard, hier, tard dans la soirée, un certain M. Boissieux ne lui aurait pas laissé un chien en garde, en disant que quelqu'un viendrait le chercher.

« Un chien?... non, je n'ai rien vu. Boissieux n'a pas dû venir. Je le connais bien, vous pensez, chaque fois qu'il arrive, il boit son petit verre de rouge au comptoir.

— Le gardien des Entrepôts dit pourtant qu'il a déchargé ses cageots. »

Le bonhomme ouvre des yeux étonnés.

« Alors, c'est qu'il est passé très tard, après

la fermeture du café... c'est-à-dire après dix heures et demie. »

De plus en plus désemparé, je regarde de nouveau Corget, cherchant à comprendre.

« Ne te tracasse pas, fait mon camarade, cela veut dire tout simplement que Kafi est encore là-bas. Qui sait, il n'a peut-être pas accepté de suivre quelqu'un qu'il ne connaissait pas... ou alors, Frédéric n'a pas voulu le laisser partir.

— Non, je suis sûr qu'il y a autre chose. »

Nous remercions le patron du café et sortons, mais sur le trottoir, je ne peux pas aller plus loin. Une force irrésistible me retient là, comme si, tout à coup, mon brave Kafi allait surgir, sauter après moi, me caresser de sa langue rose. Instinctivement, je le cherche, autour de nous. Soudain, mes yeux s'arrêtent sur une sorte de petit retrait que fait l'alignement des maisons entre l'entrepôt et le café, je m'avance et, brusquement, je sens mon sang se figer dans mes veines.

« Oh!... »

Corget s'est approché, lui aussi et, comme moi, il a vu. A un piton de fer, planté dans la muraille, pend quelque chose... un bout de corde... non pas de la corde, un bout de cuir jaune. Je pâlis et me mets à trembler.

« Corget!... ce cuir,... je le reconnais,... un bout de la laisse de Kafi... on l'a attaché là... et il s'est sauvé! »

Mon pauvre Kafi!... perdu dans Lyon,... une si grande ville! C'est fini, jamais plus je ne le reverrai. Oh! pourquoi l'avoir laissé là, tout seul?

« Pourtant, cette nuit, je n'ai rien entendu... »

Les sanglots me montent à la gorge. A grand-peine je me retiens de pleurer.

Tandis que je reste là, au bord du trottoir, désespéré, promenant mon regard brouillé de larmes le long des quais, Corget essaie de détacher le bout de lanière solidement fixé au piton par un double nœud. Tout à coup, mon camarade revient vers moi, me prend par le bras.

« Tidou, regarde... regarde de près! Parole de « Gros-Caillou », ton chien ne s'est pas sauvé tout seul... on a coupé la laisse avec quelque chose de tranchant, un couteau!... »

Tout tremblant, je me penche sur le bout de cuir tressé. Une corde, une lanière qui se rompent sous l'effort s'effilochent, se déchirent. Ici, la coupure est franche, parfaitement nette. On a coupé la laisse de Kafi. Qui?... pourquoi?

Bouleversés, nous revenons vers le café. Le patron, très intrigué lui aussi, sort à son tour, veut voir le piton où pendait le bout de cuir. Il ne comprend pas davantage.

« Pourtant, cette nuit, je n'ai rien entendu... il est vrai que je suis un peu dur d'oreille. »

Notre seule chance d'éclaircir ce mystère est de voir le chauffeur. Nous revenons à l'entrepôt. Le gardien, qui commence à être agacé par toutes nos questions, ne nous rassure guère.

« Tout ce que je peux vous dire, fait-il, c'est qu'il habite dans le quartier de la Guillotière, pas loin du garage des camions de son entreprise : le garage des Dombes,... allez, écartez-vous, vous nous gênez. »

Nous nous retrouvons sur le trottoir. Je demande à Corget :

« La Guillotière, c'est loin?

— A l'autre bout de Lyon. »

Il est déjà dix heures et je n'ai pas encore fait mes commissions. Il faudra attendre l'après-midi pour aller là-bas.

« Dommage, fait Corget, il faut, moi aussi, que je rentre maintenant et, cet après-midi, je ne serai pas libre, je dois garder ma petite sœur. »

Ensemble, nous remontons vers la Croix-Rousse, sans dire un seul mot, et je sens bien que Corget à presque autant de peine que moi..

CHAPITRE VII

LE RECIT DU CHAUFFEUR

A TABLE, j'eus beaucoup de peine à cacher mon désespoir. Il me semblait que maman devinait ce qui me tourmentait. Pourtant je ne voulais pas encore croire Kafi perdu pour toujours.

Je partis aussitôt après le repas. Heureusement, après le brouillard glacé de la veille, le ciel s'était dégagé; on aurait même dit que le soleil voulait se montrer. Je ne savais pas très bien où se trouvait ce quartier de la Guillotière,

mais Corget m'avait dit : « De l'autre côté du Rhône, en le descendant, près de la voie ferrée. » C'était la première fois que je traversais ainsi, seul, toute la ville; cela ne m'effrayait pas. Que n'aurais-je pas fait pour retrouver mon chien? Je préférais même être seul, pour n'avoir pas à cacher mes larmes.

J'avais un peu d'argent dans ma poche, assez pour prendre l'autobus, mais j'avais peur de me tromper, peur surtout, je ne sais pourquoi, que l'employé me demandât où j'allais, comme si je faisais quelque chose de mal.

Je traversai le Rhône sur un grand pont et suivis longtemps l'autre rive. Des monceaux de feuilles mortes et mouillées jonchaient les quais. Tout en marchant, je ne cessais de penser à Kafi. Chaque fois que j'apercevais un chien, sur un trottoir, je tressaillais. La ville me paraissait plus grande encore que vue du haut de la Croix-Rousse, presque effrayante. Si vraiment Kafi s'y était perdu, comment le retrouver?... mais non, il n'était pas perdu. Je m'étais déjà inventé toute une histoire. Le chauffeur avait attaché Kafi contre le mur du café pendant qu'il déchargeait ses caisses; il avait voulu le reprendre pour l'emmener chez lui, mais le nœud était trop serré, alors, pressé, il avait coupé la laisse.

Voilà ce que j'avais trouvé et, peu à peu, malgré moi, je finissais par me sentir sûr que cela s'était passé ainsi... Enfin, j'aperçus un pont sur lequel passaient non pas des autobus mais des trains. J'étais à la Guillotière. Cependant, après

avoir questionné plusieurs passants, je finis par apprendre que le garage des Dombes se trouvait beaucoup plus loin. Je le découvris dans une rue pleine d'entrepôts et d'ateliers. C'était un grand garage. Heureusement, un employé qui distribuait l'essence, à l'entrée, put tout de suite me renseigner.

« Boissieux! oui, il n'habite pas loin d'ici... tiens, au bout de la rue qui coupe celle-ci, là-bas, à droite. Je ne sais pas le numéro, mais il y a un bureau de tabac, c'est au-dessus... Tu le trouveras sûrement, il est rentré ce matin à six heures, juste comme je prenais mon service, il m'a dit qu'il était fourbu. »

Je trouvai sans peine la maison. Au moment de sonner, mon cœur se serra. Il me semblait que, derrière la porte, j'entendais gratter Kafi, comme il faisait à Reillanette, quand il demandait à sortir. Au moment d'appuyer sur le bouton, je crus qu'il allait se mettre à aboyer. Non, j'entendis seulement le pas pressé de quelqu'un qui venait ouvrir. Je me trouvai devant un visage de femme, un visage inquiet qui cachait mal sa surprise ou plutôt sa déception.

« Oh! je croyais que c'était le docteur!... Que désires-tu, mon petit?

— Je voulais voir M. Boissieux... à cause de mon chien... je ne l'ai pas trouvé. Il n'est pas chez vous?

— Quel chien?... »

Je compris tout de suite que l'histoire que je m'étais racontée était trop belle et je baissai la tête. Mais au même moment, un homme appa-

rut, dans le couloir de l'appartement, je reconnus le chauffeur, dont nous avions retrouvé la blague à tabac, Frédéric et moi, à Reillanette.

« Oh! m'sieur!... mon chien?... »

Le chauffeur fronça les sourcils, très étonné.

« Comment?... tu ne l'as pas trouvé ce matin? »

Je sortis de ma poche le bout de laisse, tout ce qui me restait de Kafi.

« Voilà ce que j'ai découvert, à un piton, contre le mur du café. »

L'homme poussa un soupir, prit le bout de cuir et l'examina.

« Vous voyez, m'sieur, il a été coupé net, avec un couteau... je croyais que c'était vous, que vous aviez ramené Kafi chez vous parce que le café était fermé. »

Toute cette scène s'était déroulée sur le pas de la porte. L'homme me poussa vers la cuisine en me faisant signe de parler à mi-voix, comme si quelqu'un dormait, dans une pièce voisine. Il se laissa tomber sur une chaise et se gratta la joue, longuement.

« Je ne comprends pas... », fit-il.

Alors, il m'expliqua : comme convenu, il avait pris Kafi à son bord, au début de l'après-midi, à Reillanette. Kafi avait bien un peu protesté, au départ, mais une fois dans la cabine, s'était montré parfaitement calme. Jusqu'à Vienne, aucun incident; mais à partir de cet endroit sur la route mouillée, d'abord, puis verglacée, la voiture avait dû rouler lentement. Malgré tout, le camion serait arrivé à Lyon avant sept heures si, brusquement, dans un virage, il

n'avait dérapé. Oh! rien de grave, juste une petite glissade vers le fossé. Le camion ne s'était même pas renversé, mais impossible de trouver immédiatement ni à Vienne, ni à Lyon tout proche, une grue de dépannage. A cause du verglas, elles étaient toutes occupées sur les routes.

« Quand je suis reparti, continua le chauffeur, il était trois heures du matin. Docilement, ton chien avait attendu pendant tout ce temps dans la cabine, sans même s'impatienter. A quatre heures, nous arrivions enfin quai Saint-Vincent. Il me fallut une heure pour décharger mes caisses. C'est à ce moment-là que j'ai fait descendre ton chien, me demandant ce que j'allais en faire puisque le café, bien entendu, était fermé. Le laisser dans l'entrepôt?... Je savais que l'homme de service, ce matin, serait Junod, un drôle de type, brouillé avec tout le monde, capable de laisser filer ton chien, rien que pour le plaisir de mal faire. Amener Kafi ici?... J'y ai pensé... et c'est bien ce que j'aurais dû faire, en effet. J'ai hésité, à cause de ma fillette, malade depuis trois jours, au lit, avec une forte fièvre. Je craignais que le chien n'aboie, en entrant, et la réveille ou lui fasse peur. D'ailleurs, tu te serais toi-même inquiété de ne pas le trouver. Alors, comme il était cinq heures et que le café ne tarderait pas à ouvrir, j'ai pensé qu'il ne pourrait rien arriver de fâcheux à la bête pendant si peu de temps. Je l'ai attachée dans une encoignure et j'ai griffonné ce mot que le patron du Petit-Beaujolais a dû trouver.

— Un mot?

— Comment?... il ne t'a rien dit?

— S'il l'avait trouvé, il m'en aurait certainement parlé... il croyait que vous n'étiez pas venu. »

Le chauffeur se gratta encore la joue.

« Ah! ça, alors!... J'ai déchiré une page de mon carnet, je me souviens très bien de ce que j'ai écrit : « Prière de garder ce chien, il n'est « pas méchant; un jeune garçon doit venir le « prendre. » J'ai signé et, même, ensuite j'ai souligné de deux traits « pas méchant ». Puis j'ai posé la feuille sur la petite table de fer, à côté de la porte, et pour qu'elle ne s'envole pas, j'ai mis dessus un vieux boulon trouvé le long du trottoir.

— Non, le patron du Petit-Beaujolais n'a rien vu... Alors, on a pris le papier en même temps que Kafi?

— Il faut le croire... mais vraiment, je ne comprends pas. »

Le chauffeur avait l'air navré. Je lui demandai :

« Dites, m'sieur! est-ce que ça existe, les voleurs de chiens? »

Il soupira.

« Bien sûr, ça existe... et ton chien était un beau chien-loup, mais à pareille heure, il n'y avait personne sur les quais; non, je ne m'explique pas, mon pauvre petit, si j'avais su... »

Je ne pouvais lui en vouloir; ce n'était pas sa faute; il avait cru bien faire. La malchance s'acharnait sur moi. Pour me rassurer, il me dit

que je ne devais pas désespérer. Après tout, il avait pu s'échapper des mains de celui qui l'avait emmené et alors on le retrouverait à la fourrière.

« La fourrière?... qu'est-ce que c'est?

— Un endroit où on rassemble les chiens errants. Des chiens qui se perdent, cela arrive tous les jours, dans une ville comme Lyon.

— Et qu'en fait-on?

— On les nourrit un certain temps et puis, ma foi, si personne ne vient les réclamer, on les abat. »

Je sursautai.

« On va tuer mon Kafi?... »

Le chauffeur essaya encore de me rassurer.

« Non, un beau chien comme le tien, ne restera certainement pas sans maître. Qui sait si, un jour, tu ne l'apercevras pas tenu en laisse, par une belle dame... et alors, j'en suis sûr, il te reconnaîtra. »

... Quand je quittai le chauffeur, j'étais désemparé. Je me sentis tout à coup si las que je me demandai si j'aurais le courage de refaire tout le chemin qui me séparait de la Croix-Rousse. Il faisait presque soleil, pourtant je trouvais la ville plus sombre que la veille, dans le brouillard du quai Saint-Vincent, quand j'attendais le cœur joyeux.

Malgré ma fatigue, je voulus repasser par le quai pour revoir le patron du Petit-Beaujolais. Non, il n'avait pas trouvé le papier; je découvris seulement le boulon quelques pas plus loin. dans le ruisseau. mais ce petit mor-

ceau de fer ne pouvait pas parler, dire ce qu'il avait vu.

En remontant vers la rue de la Petite-Lune. je fis un crochet par la Rampe des Pirates, pour revoir la niche que nous avions préparée pour Kafi, comme si j'allais le trouver là. Presque tous les « Gros-Caillou » y étaient; ils avaient deviné que je repasserais par là. En apprenant que Kafi était perdu, ils furent consternés. Cela ne leur paraissait pas possible. Mais presque aussitôt, à cette consternation succédèrent l'indignation, la colère.

« Nous le retrouverons, il faut que nous le retrouvions, s'écrièrent-ils, nous irons à la fourrière et tous les jours nous rôderons sur les quais, et il faudra bien que celui qui l'a pris le rende... »

Leur confiance me réconforta. Serait-elle assez forte pour m'aider à supporter cette terrible séparation?

CHAPITRE VIII

LA MEME NUIT...

TOUTE la nuit, je rêvai de cette fourrière dont avait parlé le chauffeur. Je voyais un endroit sinistre où Kafi, enfermé dans une cage, sans nourriture, avec d'autres chiens qui s'entre-déchiraient, m'appelait désespérément, cauchemar affreux.

Le lendemain, à l'école, je retrouvai les « Gros-Caillou ». Tous étaient tristes comme moi, mais ils gardaient quand même confiance. L'un d'eux me dit :

« Moi, je connais une dame du boulevard de la Croix-Rousse, chez qui ma mère fait des ménages; son chien, qu'elle avait perdu depuis plus de quinze jours, a bel et bien été retrouvé à la fourrière. »

Oui, la fourrière, c'était mon dernier espoir. Un camarade savait où elle se trouvait, dans la banlieue, au bord du Rhône, c'est-à-dire loin de la Croix-Rousse. J'y allai le surlendemain, un dimanche, avec Corget et le petit Gnafron, devenus mes meilleurs camarades. Il faisait gris cet après-midi-là. Après avoir marché longtemps, très longtemps, on arriva devant une sorte de terrain vague, au bord du fleuve où avait été aménagé un enclos avec de hauts grillages. Les animaux, presque tous des chiens, étaient parqués là, les gros séparés des petits par une palissade, pour éviter sans doute les batailles. Ces pauvres bêtes efflanquées, hirsutes, faisaient pitié. Elles ne songeaient pas à se battre et au contraire promenaient le long des grilles un regard inquiet et lamentable. Des gens allaient et venaient, devant les cages, de vieilles dames surtout, qui prononçaient des noms... des noms qui restaient sans écho.

Moi, j'avais déjà vu que Kafi n'était pas là. Il n'y avait d'ailleurs qu'un seul chien-loup, moins grand et moins beau que le mien. Un gardien passait; je lui parlai de Kafi, lui fit son portrait.

« Un beau chien, avec le bout des pattes comme du feu. »

Le gardien secoua la tête.

« Non, je ne l'ai pas vu... D'ailleurs nous

n'avons pas souvent de chiens-loups, ce sont des animaux intelligents, ils retrouvent facilement leur maison. »

Le cœur serré, je demandai encore combien de temps on gardait les bêtes que personne ne réclamait.

« Ça dépend, fit le gardien; le règlement prévoit quinze jours, mais quand ils ne sont pas trop nombreux, comme en ce moment, par exemple, on prolonge un peu. »

Et, malgré moi, je ne pus m'empêcher de poser la même question qu'au chauffeur du camion : « Et après, qu'en fait-on? »

Le gardien haussa les épaules.

« Après... eh bien, que veux-tu, mon petit gars, on ne peut pas les nourrir éternellement; ça coûte cher; il faut bien s'en débarrasser... »

Je n'osai demander de quelle façon, mais l'idée que les malheureuses bêtes réunies là allaient mourir, me serra le cœur.

« Allons-nous-en dirent Gnafron et Corget, nous reviendrons... »

Nous rentrâmes à la Croix-Rousse, sans dire un mot.

Plusieurs jours passèrent. Comme convenu, presque chaque soir, nous descendions déambuler sur les quais du Rhône et de la Saône. J'avais tant parlé de mon chien, donné tant de détails que mes camarades étaient certains de le reconnaître si, un jour, ils le rencontraient. A plusieurs reprises, ils crurent l'apercevoir, mais le chien n'avait pas répondu à l'appel de son nom; ce n'était pas Kafi.

En classe, Corget avait repris son air des anciens jours, parlant peu, ne s'occupant guère de moi. Un matin, pourtant, à sa façon de me regarder, je compris qu'il avait appris quelque chose. A la récréation, il sortit de sa poche un vieux journal qu'il ouvrit à la deuxième page devant les « Gros-Caillou » réunis.

« Ecoutez ça! »

Il lut :

« Important cambriolage rue des Rouettes.

« La nuit dernière, d'audacieux malfaiteurs « se sont introduits dans un appartement situé « au troisième étage d'un immeuble portant le « numéro 4 de la rue des Rouettes. En l'absence « de la locataire, actuellement en villégiature « sur la Côte d'Azur, il est impossible d'évaluer « le montant du vol, sans doute très important. « D'après des témoignages, le cambriolage « n'aurait pu avoir lieu que très tard dans la « nuit, entre quatre heures et sept heures du « matin. »

Corget s'arrêta et nous regarda.

« Voilà, fit-il, ça ne vous dit rien?... »

Non, à moi, cet article ne disait rien. Quel rapport avec la disparition de Kafi? Mais un autre « Gros-Caillou » remarqua :

« La rue des Rouettes?... est-ce que, par hasard, elle ne se trouverait pas derrière le quai Saint-Vincent?

— Exactement!... et voyez la date du journal : 29 novembre! »

29 novembre! le lendemain du jour où Kafi avait disparu. Mon cœur se mit à battre. La

coïncidence était troublante. Même jour, même quartier, même heure!

« Bien sûr, fit Corget, ça ne veut pas dire grand-chose. Cependant, en froissant ce vieux journal pour allumer le feu, quand mes yeux sont tombés sur cet article, j'ai immédiatement pensé à Kafi. »

Les « Gros-Caillou » furent unanimes. Le soir même, nous irions faire un tour dans cette rue des Rouettes. Toute la journée je me demandai si je devais me réjouir de cette découverte.

« On ne sait jamais, me répétait Corget, il faut d'abord se rendre compte. »

Les jours étaient devenus si courts, le ciel demeurait si bas, qu'il faisait déjà nuit quand on déboucha sur le quai. La bande du Gros-Caillou était au complet. Corget ne s'était pas trompé, la rue des Rouettes se trouvait près du

quai Saint-Vincent, parallèle à la Saône, comme lui, et à cent mètres, à peine, des Entrepôts du Sud-Est. C'était une voie tranquille, peu animée, pas très large, bordée de maisons anciennes, des maisons bourgeoises d'autrefois, pour la plupart, mais en assez mauvais état. L'une d'elles pourtant, qui portait le numéro 4, avec sa façade refaite, paraissait presque neuve. Postés sur le trottoir d'en face, nous levâmes les yeux vers le troisième étage, là où avait eu lieu le cambriolage. Naturellement, il n'y avait rien à voir.

« On pourrait demander à la concierge, proposa un « Gros-Caillou ».

— Lui demander quoi?

— C'est peut-être elle qui a expliqué à la police que le vol devait avoir eu lieu entre quatre heures et sept heures du matin... elle a pu voir les cambrioleurs se sauver, apercevoir un chien!... »

On se hasarda dans le couloir. A notre vue, la concierge s'emporta, ne nous laissant pas achever nos questions. Elle n'avait rien vu, ni voleurs, ni chien et elle en avait assez de toute cette histoire.

Nous nous retrouvâmes dans la rue, penauds et déçus.

« De toute façon, fit Corget, les voleurs ne sont pas venus jusqu'ici en auto; c'était trop dangereux pour eux. Dans des petites rues comme celle-là, un ronflement de moteur s'entend et se remarque, surtout la nuit.

— Probable, approuva Gnafron, leur voiture,

ils l'ont plutôt laissée sur le quai avec quelqu'un dedans pour donner l'alarme. »

Corget nous entraîna sur le quai.

« Voyez, fit-il, l'auto attendait peut-être là près du café du Petit-Beaujolais, l'homme aurait alors pu voir Kafi attaché dans l'encoignure. »

Oui, c'était possible, mais pourquoi aurait-il détaché Kafi? En général, les chiens-loups ne se laissent pas approcher par n'importe qui. L'homme pouvait supposer que Kafi était méchant... Aurait-il donc aperçu le papier posé sur la petite table de fer? De toute façon, cela ne changeait pas grand-chose pour moi. Kafi était bien perdu, pour toujours sans doute.

Mais Corget s'entêtait. Après tout, pourquoi ne pas se renseigner, à la police.

La police! ce mot m'effrayait. Je n'étais pas encore habitué aux agents. Leur uniforme m'en imposait, le képi surtout. A Reillanette, bien sûr, il n'y avait pas d'agents, seulement le vieux garde-champêtre qui, lui, était un homme semblable aux autres, simplement chargé de coller les affiches, tandis que les agents!...

« Si, fit Gnafron, le plus petit de la bande mais le plus décidé, il faut y aller... Pas tous ensemble, je les connais, moi, les agents ils n'aiment pas les gamins de Lyon, les « gones » comme on nous appelle, ils nous flanqueraient à la porte. Trois seulement, Tidou, Corget et moi. »

Justement, il connaissait un commissariat, pas très loin, près de la place des Terreaux, une

belle place de Lyon avec sa grande fontaine et ses pigeons. Tout le long du chemin, j'étais si impressionné que je marchais le dernier. Devant la porte, j'hésitai.

« Ils ne vont pas nous avaler, fit Gnafron; tout de même, les cambrioleurs, ce n'est pas nous! »

On poussa une porte. Nous nous trouvâmes dans une salle sentant le tabac et pleine d'uniformes. Les agents nous regardèrent d'un air plutôt moqueur.

« Tiens, fit l'un d'eux, encore des clients qui ont perdu leur porte-monnaie avec vingt-cinq centimes dedans...

— Non, pas un porte-monnaie, rectifia gravement Gnafron, un chien... son chien à lui, un beau chien-loup qui a disparu la nuit du cambriolage de la rue des Rouettes. »

Les agents s'esclaffèrent.

« Quel rapport? »

Désemparé, par le ton de l'agent, Gnafron se tut, Corget, reprit :

« J'ai encore le journal; voyez, le vol a eu lieu entre quatre heures et sept heures du matin, tout près du quai Saint-Vincent; à ce moment-là, le chien était attaché près du Petit-Beaujolais, en attendant que lui, Tidou, vienne le chercher.

— Et alors? qu'est-ce que ça prouve? »

Corget se tait à son tour, mais le petit Gnafron, lui, a retrouvé son aplomb. Très vite, de peur qu'on ne l'écoute pas, il raconte l'aventure de Kafi.

« C'est bon, c'est bon, font les agents, cette histoire à dormir debout ne nous intéresse pas. Vous vous imaginez peut-être qu'on va mettre toute la police de Lyon en branle pour un simple chien... D'ailleurs, de toute façon, à quoi cela vous avancerait, puisque les cambrioleurs de la rue des Rouettes courent toujours... Allez, ouste!... déguerpissez. »

Nous nous retrouvons dans la rue.

« Tous les mêmes, les agents, fait Gnafron en soupirant, ils ne comprennent jamais rien. »

C'est fini, l'espoir allumé ce matin par Corget vient de s'éteindre.

CHAPITRE IX

UN CHIEN QUI RESSEMBLAIT A KAFI

Les semaines passèrent, de longues semaines froides et humides. A l'école, les « Gros-Caillou » avaient repris leurs habitudes. Leur déception était grande, mais elle ne ressemblait pas à la mienne. Eux, n'avaient pas connu Kafi; ce n'était pas la même chose. Ils pouvaient oublier, se consoler, moi non. Il m'arrivait à nouveau, de me sentir parmi eux un étranger.

« Mon pauvre Tidou, me disait parfois ma-

man, tu n'es plus comme avant, est-ce le soleil de Reillanette qui te manque? »

Elle parlait de soleil; je voyais bien qu'elle pensait à autre chose, à Kafi, qu'elle croyait toujours là-bas.

On était au début décembre. Au lieu de jouer sur le boulevard ou de se réunir sur le Toit aux Canuts, les « Gros-Caillou » préféraient, à présent, descendre en ville, sur la place des Terreaux, près du théâtre, se coller le nez aux devantures des magasins déjà parées et illuminées pour les fêtes de fin d'année.

« Allons, Tidou, viens! » insistaient-ils.

Je descendis plusieurs fois avec eux, mais les magasins ne m'attiraient pas, je ne regardai que les trottoirs et les rares chiens qu'on promenait. Le jeudi ou le dimanche, quand il ne faisait pas trop froid, je préférais retourner à la fourrière. J'y revins même si souvent que le gardien, pris de pitié, me promit de m'écrire si un jour on lui amenait un chien-loup qui aurait le bout des pattes roux et ressemblerait à Kafi. Je le remerciai très fort et lui donnai l'adresse de Gnafron.

Pendant quelques jours, je fus rassuré. Chaque matin, à l'école, j'attendis avec impatience l'arrivée de Gnafron. Puis, peu à peu, ne recevant rien, je pensai que le gardien avait peut-être oublié sa promesse ou qu'il était malade... ou qu'il avait été remplacé... et je retournai à la fourrière. Le gardien était là... mais pas Kafi.

Au début janvier, il fit si froid que la Saône gela et qu'on vit le Rhône charrier des glaçons

La bande des « Gros-Caillou » se clairsema. Beaucoup restaient chez eux, le soir, ou se réchauffaient, sur les trottoirs du boulevard, en donnant des coups de pied dans leur ballon. Enfin, au bout d'une quinzaine, le temps se radoucit. Les jours étaient déjà plus longs. Nous recommençâmes à descendre sur les quais où les gens promenaient de nouveau leurs chiens.

Un jour, j'eus une grande émotion. Un « Gros-Caillou » arriva un matin à l'école, en disant que la veille, à la tombée de la nuit, en revenant de chez sa tante, à l'autre bout de la Croix-Rousse, il s'était trouvé tout à coup face à face avec un chien-loup exactement pareil à Kafi. Il l'avait appelé par son nom, le chien avait aussitôt dressé les oreilles; il s'était même approché.

« Mais ses pattes, tu as vu le bout de ses pattes?

— Il faisait presque nuit, je n'ai pas très bien distingué... je suis pourtant sûr que c'était lui.

— Pourquoi n'as-tu pas essayé de l'amener?

— Je n'ai pas pu le prendre, quand j'ai voulu le caresser, il s'est sauvé... mais tu peux me croire, c'était lui, il était seulement plus maigre, ça n'a rien d'étonnant depuis le temps qu'il traîne les rues.

— Et c'était où?

— La rue des Hautes-Buttes, près du funiculaire de la Croix-Paquet,... tu sais, l'autre « ficelle. »

Le « Gros-Caillou » était si sûr de lui que, le soir même, il voulut me conduire dans la rue des Hautes-Buttes.

« C'est là, expliqua-t-il, je dégringolais cette « montée », quand je l'ai aperçu, qui flairait le trottoir. Je suis sûr qu'il reviendra. »

Nous attendîmes longtemps, jusqu'à la tombée de la nuit; le chien ne reparut pas. Malgré tout, la petite lueur d'espoir qui ne s'était jamais éteinte complètement se ralluma. Je revins le lendemain et le surlendemain encore. Je savais que les chiens perdus rôdent longtemps au même endroit, retenus par quelque chose qu'ils ont cru reconnaître. Cette rue des Hautes-Buttes ressemblait à la mienne, avec ces mêmes grandes bâtisses qui, de loin, le jour de mon arrivée à Lyon, m'étaient apparues sous forme de gros cubes entassés les uns sur les autres. J'allais et venais, d'un bout à l'autre puis, fatigué, je m'asseyais sur une marche, mon cartable sous moi, pour me préserver du froid.

Mais, au début de la semaine suivante, le temps changea de nouveau brusquement. Un matin, la grande ville s'éveilla toute blanche de neige. Cela me rendit triste mais brusquement, je pensai que, dans la neige, les traces de pattes pourraient se voir. Sitôt l'école finie, je courus vers la rue des Hautes-Buttes. Je piétinai dans la neige qui n'avait pas encore été enlevée, à la recherche d'empreintes puis, fatigué, je m'adossai à un mur, car il faisait trop froid pour s'asseoir sur une marche. Huit jours, déjà, que j'étais venu pour la première fois! les chances de retrouver Kafi diminuaient. Le « Gros-Caillou » avait dû se tromper. Je pensai qu'il était inutile de revenir.

Cependant je demeurai contre le mur qui me glaçait le dos, les pieds dans la neige.

« Si c'est possible, de rester planté là, au lieu de rentrer chez toi te chauffer » me lança une vieille femme qui passait, son cabas à la main.

Je ne bougeai pas, sentant pourtant que j'avais froid, mais n'ayant pas envie de remuer pour me réchauffer. Je n'attendais plus rien et j'espérais quand même. Puis, tout à coup, je frissonnai, pendant quelques secondes les maisons de la rue semblèrent basculer. Mes yeux se brouillèrent. En élevant la main pour les frotter, je sentis vaguement que mon corps perdait l'équilibre. Cela fit un grand choc dans ma tête puis, plus rien.

Quand je rouvris les yeux, quelqu'un me soulevait.

« Pauvre petit, que faisais-tu dans cette neige?... tu ne t'es pas fait mal?... »

Je regardai la femme penchée sur moi.

« Le chien?... il est venu?

— Quel chien?

— Kafi! »

Le femme crut que je ne savais plus ce que je disais. Elle m'aida à me relever.

« Tu ne peux pas rentrer ainsi chez toi, viens prendre quelque chose de chaud. »

Encore chancelant, je la suivis. Elle habitait à côté, au quatrième étage d'une de ces grandes maisons grises. J'eus beaucoup de peine à gravir les marches. En entrant, après le froid du dehors, la chaleur me saisit. Mon sang reflua à mon visage. Je me sentis tout à coup honteux

de ce qui m'était arrivé et voulus redescendre.

« Non, attends! juste une tasse de tilleul, bien chaud. »

Tandis qu'elle faisait bouillir de l'eau, sur le réchaud à gaz, je regardai cette cuisine, pareille à la nôtre, plus pauvre même, avec ses chaises dépaillées.

« Ce n'est pas la première fois que je t'aperçois dans la rue. Que viens-tu faire dans ce quartier?... attendre un camarade? »

Je secouai la tête.

« Je cherche un chien que j'ai perdu... un chien-loup... Oh! dites, madame, vous l'avez vu?... un camarade est sûr de l'avoir aperçu, la semaine dernière.

— Je n'ai rien vu... ni mon mari; pourtant nous descendons souvent. Comment était-il?

— Un beau chien-loup avec le bout des pattes roux.

— Y a-t-il longtemps que tu l'as perdu? »

J'allais lui expliquer comment il avait disparu quand une petite voix appela, de l'autre côté de la cloison.

« Qui est là, maman? »

La femme entrebâilla la porte.

« Ce n'est rien, Mady, un « gone » qui a pris froid dans la rue et que j'ai fait monter pour lui donner une tisane. Il cherchait son chien. »

Elle referma la porte, doucement; mais presque aussitôt, la voix appela de nouveau :

« Dis, maman, est-ce que je pourrais le voir? »

La femme hésita. Elle me regarda, puis re-

garda la porte. Elle eut un petit soupir triste; cela l'ennuyait peut-être ou plutôt elle était gênée à cause de la maison un peu en désordre, cependant je devinai qu'il y avait autre chose.

« Oh! si, maman, insista la petite voix, fais-le entrer! »

Alors, la mère me fit signe d'approcher. Sur le seuil de la porte, je restai interdit. Une petite fille de dix ou douze ans, allongée sur une chaise longue, la tête à peine relevée par un coussin, tournait vers moi un visage très pâle dans lequel les grands yeux sombres tenaient toute la place.

« Elle est malade, dit la mère à mi-voix, elle ne peut pas se lever, elle doit rester toute la journée allongée sur cette chaise. »

Je m'avançai, très intimidé. La fillette, au contraire, semblait heureuse de voir quelqu'un.

« Oh! tu as perdu un chien! Tu dois être bien triste! Moi, je n'ai jamais eu la chance d'en avoir un, mais je les aime. A l'automne, quand papa me conduisait au parc, j'emportais toujours quelques morceaux de sucre pour donner aux chiens que je rencontrais... le tien, comment s'appelait-il?

— Kafi.

— Oh! quel étrange nom!

— C'était un grand chien-loup, j'y tenais beaucoup, c'est moi qui l'avais élevé.

— Assieds-toi là, sur cette chaise, parle-moi de lui, veux-tu?... Comment l'as-tu perdu? »

Après m'avoir fait boire une grande tasse de tisane, la mère de la petite malade était repartie

dans la cuisine, préparer le souper sans doute. Je m'assis sur la chaise, poussai un soupir. L'histoire de Kafi?... elle était si longue, et à quoi bon, à présent, puisque c'était fini. Mais la fillette soulevait la tête, sur son coussin, pour m'écouter.

« Dis, raconte! »

Alors, je commençai à parler de mon chien. D'abord je crus que j'allais l'ennuyer; elle ne connaissait pas Kafi, ne le connaîtrait jamais; est-ce que vraiment tout cela pouvait l'intéresser? Mais elle semblait écouter avec tant d'attention que je continuai. Bientôt, je me mis à revivre notre vie, à Kafi et à moi, comme si j'étais encore à Reillanette, ou s'il était là, accroupi, au pied de la chaise longue, la tête penchée essayant de comprendre, dans sa bonne tête de chien, ce que je disais.

Quand j'eus fini, il y eut un long silence, je

vis que des larmes coulaient sur les joues de la petite malade. Elle tendit la main pour prendre la mienne.

« Pauvre Kafi! murmura-t-elle... Oh! tu le retrouveras, je suis sûre que tu le retrouveras. »

Je souris tristement, sans répondre... puis, tout à coup, tournant les yeux vers la fenêtre, je vis qu'il faisait grande nuit dehors. Maman allait encore s'inquiéter; il fallait que je rentre.

« Déjà! s'exclama la fillette, mais tu reviendras, dis? Tu reviendras... tu me parleras encore de Kafi. »

En quittant sa chambre, j'étais bouleversé, tant elle avait compris, partagé ma peine. Ses yeux avaient brillé d'une telle façon, quand elle avait dit : « Je suis sûre que tu le retrouveras », que je la croyais. Oh! bien sûr, les « Gros-Caillou » m'avaient déjà dit cela mais, sur ses lèvres à elle, ces mots prenaient un autre sens. Non, cette petite voix si pure ne pouvait pas se tromper...

CHAPITRE X

MADY

LE LENDEMAIN soir, je ne revins pas dans la rue des Hautes-Buttes. Ma mère avait besoin de moi pour garder mon petit frère pendant qu'elle irait voir une dame qui, lui avait-on dit à l'épicerie, cherchait une femme de ménage. C'est, qu'en effet, la vie était difficile, à Lyon. Chaque quinzaine, la paie de mon père était meilleure qu'à Reillanette, mais le loyer beaucoup plus cher que là-bas. De plus, dans ce pays froid et humide, le fourneau mangeait tant de

charbon... et plus de jardin pour fournir les légumes. Maman avait donc décidé de faire quelques heures de ménage, l'après-midi, tandis que Geo irait à la maternelle.

Ce soir-là me parut bien long. Je n'avais plus aucun espoir de rencontrer Kafi dans cette rue des Hautes-Buttes, mais je pensais à la petite malade. J'avais envie de la revoir, de lui parler encore de mon chien, de Reillanette... et j'étais sûr, qu'elle aussi, serait contente de me retrouver.

Le lendemain, heureusement, j'étais libre.

« Allons, me fit maman en souriant, va donc retrouver tes « Gros-Caillou », tu en meurs d'envie. »

Avant de partir, je lui demandai la permission d'emporter quelques-unes des photos rangées dans la boîte en bois d'olivier.

« Encore, dit-elle, étonnée, tu les leur as déjà montrées!... »

Je me troublai et rougis.

« C'est que, maman,... ce n'est pas pour les « Gros-Caillou ».

J'expliquai timidement que, l'autre soir, dans une vieille rue de la Croix-Rousse, j'avais fait la connaissance d'une petite fille de mon âge, malade, qui s'ennuyait. J'avais promis de revenir la voir.

« Dis, maman, tu veux bien que j'y retourne? »

Mes yeux suppliants et brillants lui montraient ma joie. Ils étaient si souvent tristes, mes yeux, depuis mon arrivée à Lyon.

« Va, Tidou! D'ailleurs, par ce mauvais temps, j'aime mieux te savoir au chaud que traînant dans les rues. Ne rentre pas trop tard. »

Les photos dans ma poche, je me sauvai. J'étais si essoufflé en arrivant rue des Hautes-Buttes que je dus m'arrêter deux fois en grimpant l'escalier. Mais, tout à coup, au moment de frapper, je demeurai interdit. Je m'étais peut-être fait une idée... elle ne pensait plus à moi... ou bien sa mère, comme je l'avais vu l'autre soir, serait peut-être gênée.

Timidement, je donnai trois petits coups. La porte s'ouvrit; la femme qui m'avait relevé dans la neige était devant moi, et elle souriait.

« Ah! te voilà!... entre! »

Je pénétrai dans la cuisine, minuscule, mais bien chaude. Aussitôt, de la chambre, la petite voix appela :

« Maman! qui est-ce?

— C'est lui! »

Elle m'attendait donc! Sans hésitation, cette fois, la mère poussa la porte de la chambre. La petite malade était étendue sur sa chaise longue, exactement comme si elle ne l'avait pas quittée depuis l'autre soir.

« Oh! je t'ai attendu hier, toute la soirée... j'ai cru que tu ne viendrais plus. »

Elle souriait; je compris que, vraiment, elle était très heureuse de me revoir. Je lui expliquai pourquoi j'étais resté à la maison, la veille.

« Quand tu es parti, fit-elle, je me suis aperçu que tu ne m'avais même pas dit ton nom... moi je m'appelle Mady... et toi?

— Chez nous, tout le monde m'appelle Tidou.

— Tidou, reprit-elle, à Lyon je ne connais personne qui se nomme Tidou. »

Elle me fit signe de m'asseoir.

« Là, de ce côté, pour que je te voie mieux, je n'ai pas la permission de me redresser davantage. »

Je m'assis, près d'elle, plus près que l'autre soir, toujours très impressionné devant ce petit corps ainsi étendu. L'autre jour, je ne lui avais pas parlé de sa maladie. Timidement, je demandai :

« Tu souffres?... beaucoup?...

— Oh! non, pas du tout... c'est-à-dire seulement quand je bouge. C'est là que j'ai mal, à la hanche droite, dans l'os.

— Y a-t-il longtemps que tu es malade?

— Depuis l'été. Les derniers jours, avant les vacances, j'avais déjà très mal en allant à l'école. Le docteur a dit que ce serait long, très long...

— Tu ne sors jamais? »

Elle sourit doucement.

« Comment veux-tu... puisqu'il ne faut pas que je bouge!

— Tes camarades ne viennent pas te voir?

— Si, au début, elles venaient souvent, presque chaque jour... et puis elles ont perdu l'habitude, quand je suis partie, en octobre...

— Partie?... tu as quitté Lyon? »

Elle baissa la tête, hésita.

« Le docteur avait dit qu'il me fallait du soleil, beaucoup de soleil,... on m'a envoyée dans

une sorte d'hôpital, dans le Midi, une grande maison pleine de malades,... je n'ai pas pu m'habituer. C'est mal, je le sais; maman m'a toujours gâtée; elle est très gentille, maman. Je m'ennuyais, sans elle; pourtant, j'aime bien la campagne, les arbres, les champs, les bêtes,... mais la campagne, quand on ne peut pas marcher, ce n'est pas la même chose, tu sais. J'étais triste, je ne mangeais plus, au bout de trois semaines j'ai écrit pour qu'on vienne me chercher. »

Et, pour s'excuser, elle leva les yeux vers la fenêtre.

« D'ailleurs, ici aussi il y a du soleil... pas aujourd'hui, bien sûr, mais quand le temps est clair, le soleil entre dans ma chambre et vient jusque sur ma chaise longue... C'est une chance qu'on ait abattu cette vieille maison, en face, qui nous barrait la vue. On dirait qu'on l'a fait exprès pour moi. Tiens, va regarder par la fenêtre. »

Je me levai. La vue devait, en effet, être très étendue. Cependant, dans le soir tombant, le ciel et le blanc de la neige, sur les toits, se confondaient dans une grisaille uniforme.

« C'est très beau, d'habitude, insista-t-elle, en face on aperçoit les gratte-ciel de Villeurbanne et derrière, plus loin, beaucoup plus loin, les montagnes. Le mois dernier, un matin, j'ai même aperçu le mont Blanc. »

Elle s'animait, heureuse de parler de sa ville, tout comme Corget, certain soir, sur le Toit aux Canuts. Elle l'aimait et la trouvait belle. Peut-être, un jour, la trouverais-je belle moi aussi;

pour l'instant elle était celle qui m'avait pris Kafi.

Je ne disais rien, le front appuyé sur la vitre, elle devina que je pensais à mon chien.

« C'est vrai, fit-elle, toi, tu ne peux pas l'aimer... pas encore, seulement quand tu auras retrouvé Kafi... J'ai beaucoup pensé à lui, tu sais, depuis avant-hier, j'ai même rêvé que je le rencontrais dans une petite rue en pente, très étroite, pas une rue de la Croix-Rousse, d'un autre quartier, je ne sais pas où. Je l'appelais et il venait se frotter contre moi et je n'avais pas peur du tout... pourtant j'ai peur des gros chiens. Dis, Tidou, parle-moi encore de lui. »

Je revins m'asseoir près d'elle et sortis de ma poche les petites photos choisies dans la boîte en bois d'olivier. C'étaient des photos de Reillanette qu'avaient prises, l'année précédente, des Parisiens venus en vacances; elles montraient notre maison, avec sa génoise provençale, mes parents assis sur le banc du jardin, maman tenant mon petit frère Geo sur ses genoux. Deux ou trois autres avaient été prises dans la campagne, malheureusement Kafi était toujours absent, parce qu'il avait peur des appareils photographiques. On ne le voyait que sur une image, avec moi, près de la rivière, mais au dernier moment, il avait bougé et sa tête était floue.

« Comme il est gros et beau, s'exclama Mady... c'est vrai qu'il me ferait peur.

— Oh! non, j'en suis sûr, vous seriez tout de suite amis. »

Et me voilà reparti à reparler de mon chien, de Reillanette. Mady m'écoutait avec la même attention que l'autre soir, ses yeux brillaient de la même émotion. Je racontai nos escapades dans les vignes, nos escalades dans les rochers, nos courses à travers champs.

Mais, tout à coup, j'eus honte de dire tout cela devant elle, qui ne pouvait pas marcher. Je crois qu'à nouveau elle comprit pourquoi je me taisais, car elle fit vivement :

« Oh! continue, il me semble que je cours avec toi, avec Kafi... Tu sais, ça ne me rend pas triste de ne plus pouvoir marcher; à présent, j'y suis habituée. »

Elle souriait, d'un sourire qui restait quand même un peu voilé. Je lui demandai :

« Depuis que tu es rentrée, en octobre, tu n'as plus jamais quitté la maison?

— Jamais!

— Le docteur ne permettrait pas qu'on te promène, dehors, dans une chaise roulante? Cela existe.

— Comment veux-tu? d'abord, ces chaises doivent coûter très cher... et puis papa n'est pas souvent là, qui me descendrait du quatrième étage et qui me pousserait dans ces rues qui montent?... Non, je t'assure, je ne m'ennuie pas. »

Et elle ajouta, souriant de nouveau :

« Surtout quand on vient me voir. »

C'était une façon de me demander de revenir. Cela ne m'ennuyait pas, au contraire; jamais depuis la disparition de Kafi, personne ne

m'avait aidé, aussi bien qu'elle, à me faire croire qu'il n'était pas perdu pour toujours.

Comme l'autre soir, quand voyant la nuit tomber sur la ville, je me levai pour partir. Mady soupira :

« Oh! déjà! »

Je pris sa main dans la mienne, la serrai longtemps.

« Je reviendrai, Mady,... je reviendrai souvent... et un jour, je t'amènerai Kafi. »

Je dis cela en riant, mais elle avait réellement produit ce miracle : me faire croire, même si je devais attendre des semaines, des mois, des années, que mon chien mc reviendrait...

CHAPITRE XI

LE CARROSSE

Je revins presque chaque soir voir Mady. Les deux heures que je passais près de sa chaise longue m'aidaient à oublier mon chagrin.

Grâce à elle, l'école me parut moins laide et même, un soir, en passant avec Corget sur le Toit aux Canuts, je trouvai presque belle la vue sur la ville.

Cependant, quelque chose me tracassait. Je sortais moins souvent avec les « Gros-Caillou ». Ils pensaient peut-être que je les dédaignais à

mon tour, malgré tout ce qu'ils avaient fait pour m'aider à retrouver Kafi. Comment leur expliquer?

Un matin, je décidai de parler à Corget. C'était bien difficile à dire. Mon camarade me regarda d'un air bizarre et sourit, d'un petit sourire qui en disait long.

« Une fille?... moi, mon vieux, je n'aime pas les filles... je préfère les chiens, ils ne bavardent pas et ne nous agacent pas tout le temps.

— Celle-là est gentille.

— Ça m'étonne.

— Et puis elle est malade, toujours allongée.

— Je ne te dis pas... mais c'est une fille.

— Tu devrais venir la voir, un soir, avec moi... ça lui ferait plaisir, elle s'ennuie, toujours toute seule.

— Et ses camarades à elle?... elles ne viennent pas?

— Pas souvent, il y a trop longtemps qu'elle est couchée. Dis, tu viendras? »

Il ne répondit pas mais, le surlendemain, quand je lui demandai de m'accompagner, il me suivit.

Nous restâmes un long moment, assis près de la chaise longue de la petite malade. Mady était heureuse que je lui amène un nouveau camarade, qui n'était pas réellement nouveau pour elle puisque je lui en avais souvent parlé. Tout de suite, il fut question de Kafi. Pour Corget, Mady raconta encore son rêve de l'autre nuit.

« A présent, fit-elle, je vois très bien l'endroit où je l'avais rencontré. Ce ne peut être que du

côté de la colline de Fourvière, dans ces petites rues qui montent, comme à la Croix-Rousse... Vous ne croyez peut-être pas aux rêves?... Vous verrez. C'est par là que nous le retrouverons. »

Elle disait « nous » comme si vraiment elle pouvait nous aider, elle qui ne sortait jamais, et elle souriait, pleine de confiance. Pourtant, je lui avais tout dit de Kafi, elle savait bien qu'il ne nous restait guère de chances.

Quand nous quittâmes la rue des Hautes-Buttes, Corget et moi, nous marchâmes un long moment en silence; puis mon camarade s'arrêta.

« Tu as raison, Tidou, elle n'est pas comme les autres... et puis quand elle parle de Kafi on dirait qu'elle l'aime autant que nous, autant que toi... Crois-tu qu'elle serait contente si je revenais?

— Certainement, et les autres « Gros-Caillou » aussi. »

Nous continuâmes notre chemin à travers les rues étroites. Je voyais que Corget réfléchissait. Quand quelque chose le préoccupait, il passait toujours deux doigts dans le col de sa chemise comme si elle le gênait. Il s'arrêta de nouveau.

« Ce n'est pas gai, de rester toute la journée comme ça, sans bouger, sur une chaise longue. Tu ne crois pas que si elle pouvait sortir?... »

Mon cœur se mit à battre. J'en étais sûr, Corget avait eu la même idée que moi. Je lui pris le bras.

« Tu veux dire que, peut-être, nous pourrions?... »

Il sourit.

« Oui, peut-être, demain nous verrons ça, avec les autres. »

Pour ne pas en dire plus, il me serra la main et se sauva. Mais le lendemain, comme la première fois lorsque je lui avais parlé de Kafi, il n'avait pas oublié.

« Ça va être difficile », me dit-il simplement.

A la récréation, nous retrouvâmes les autres « Gros-Caillou » sous le préau.

« Voilà, fit Corget, si Tidou sort moins souvent avec nous depuis quelque temps, je sais pourquoi... c'est à cause d'une fille... une fille qu'il a rencontrée un soir qu'il cherchait Kafi dans la rue des Hautes-Buttes. Tidou a voulu m'emmener la voir. Moi, je ne voulais pas; je n'aime pas les filles... mais celle-là n'est pas comme les autres. »

Il était embarrassé pour expliquer cette visite et parlait par petits bouts de phrases. Une voix l'interrompit.

« Je vois où vous voulez en venir... mais c'est la règle, tu la connais comme nous, toi, Corget, pas de filles dans la bande des « Gros-Caillou. »

C'est le tondu qui avait parlé, un « Gros-Caillou » surnommé ainsi parce qu'il était chauve. Tout petit, une fièvre inconnue avait fait tomber ses cheveux qui, depuis, n'avaient pas repoussé. Il ne quittait jamais son béret, même en classe; le maître le lui permettait. Il détestait les filles qui se moquaient de son crâne lisse comme une boule de billard.

« Tais-toi! coupa Corget. Je vous dis que ce

n'est pas une fille comme les autres; elle est malade, elle ne peut pas marcher, à cause de sa hanche qui la fait souffrir; le docteur a dit qu'elle ne serait pas guérie avant des mois et des mois... Alors, Tidou et moi, nous avons pensé qu'on pourrait peut-être faire quelque chose pour elle...

— Quoi?

— Si elle ne sort jamais, ce n'est pas qu'on le lui défende... mais elle habite au quatrième étage et sa rue grimpe presque autant que la Grande-Côte... On pourrait, peut-être, n'est-ce pas, Tidou, fabriquer une sorte de voiture à roues pour la balader quand il fera beau, bientôt?... et en la baladant, quelle belle occasion de chercher Kafi.

— Bien sûr, fit encore le Tondu en hochant la tête, ce n'est pas drôle, pour elle, d'être enfermée, surtout quand il fera beau... mais c'est une fille!

— C'est bon, dit Corget n'en parlons plus. »

Et comme la cloche venait de sonner, les « Gros-Caillou » se dispersèrent.

« Tu as vu, fit Corget quand nous nous retrouvâmes côte à côte sur notre banc... Pourtant, tous les deux seuls, ce n'est pas possible, avec ces diables de rues qui montent, il faudrait être nombreux pour la pousser. »

J'étais encore plus ennuyé que lui, mais à la rentrée de l'après-midi, comme nous arrivions ensemble devant l'école, tout le reste de la bande des « Gros-Caillou » nous attendait.

« Ecoutez, dit le Tondu, on a réfléchi... on ne

dit pas non, mais il faudrait d'abord qu'on la connaisse. »

C'en était fait; quand ils l'auraient vue, j'étais sûr qu'ils accepteraient. Le soir même, toute la bande des « Gros-Caillou », au complet, débouchait dans la rue des Hautes-Buttes et montait à l'assaut du quatrième étage de la maison de Mady. Après une dernière hésitation, le Tondu avait suivi, mais de nouveau inquiet, il restait en arrière, pour se cacher,... sans succès, car il était le plus grand de tous.

Malgré nos précautions, nous avions fait du bruit dans l'escalier. En arrivant au quatrième palier, je n'eus pas le temps de frapper. La porte s'était déjà ouverte.

« Ciel! s'écria la mère de Mady en voyant tous ces « gones », que se passe-t-il? »

J'expliquai vivement que c'étaient mes camarades de la bande des « Gros-Caillou »; je leur avais parlé de Mady, ils voulaient la voir.

Effrayée par cette invasion, elle leva les bras; sa maison était si petite! Mais elle ne nous renvoya pas. Alors, montrant le chemin, je traversai la minuscule cuisine.

« Mady, ne t'effraie pas... ce sont les « Gros-Caillou! »

Devant tous ces garçons qui l'entouraient et, timidement, se haussaient les uns derrière les autres pour l'apercevoir, elle rougit, mais très vite, elle retrouva son sourire.

« Oh! fit-elle, je vous connais presque tous! Tidou m'a souvent parlé de vous. Je suis si heureuse que vous l'ayez aidé à rechercher Kafi... si

seulement je pouvais vous aider, moi aussi! »

Elle s'animait en parlant, pour cacher son émotion, mais je sentais qu'elle était heureuse... et plus encore, que, tout de suite, les « Gros-Caillou » s'étaient trouvés à l'aise, devant elle, comme avec une sœur. Alors, on parla de Kafi, de sa maladie à elle, des jours qui s'allongeaient, le soir.

« C'est vrai, fit-elle, de ma chambre je vois beaucoup de choses, je sais que le printemps n'est plus très loin, là-bas; le long des quais on dirait que les arbres changent déjà de couleur... »

... Quand, une demi-heure plus tard, la bande se retrouva dans la rue, tout le monde était d'accord, même le Tondu qui, le premier, déclara :

« C'est une fille, d'accord... mais, je le recon-

nais, pas comme les autres... il faut faire quelque chose pour elle! »

Et, sans s'être dit le mot, nous partîmes vers le sous-sol de la Rampe des Pirates, devenu notre lieu secret de rendez-vous, pour tirer des plans.

C'était simple, on fabriquerait une sorte de chaise longue montée sur roues et, par équipes de trois ou quatre, on se relaierait pour promener Mady. Bien entendu, on ne parlerait de rien jusqu'au jour où l'engin serait prêt. On me chargea de demander à sa mère si le docteur et elle-même permettraient ces sorties, en lui faisant promettre de garder le secret.

La mère de Mady hésita un peu; toute cette bande de garçons l'avait presque effrayée, mais sa fille serait si contente... elle accepta. Alors, le travail commença. Repris par leur enthousiasme, les « Gros-Caillou » se démenèrent pour trouver le matériel nécessaire. En quelques jours notre caverne, comme nous appelions le sous-sol de la Rampe des Pirates, s'emplit à nouveau d'un véritable bric-à-brac. Pour les roues, rien de plus facile. Il y en eut bientôt plus d'une douzaine; des roues de voitures d'enfants, pour la plupart, des roues presque neuves mais un peu trop petites, des roucs de bonnes dimensions mais au caoutchouc usé, des roues à pneus provenant de petites bicyclettes... Le plus difficile, bien entendu, était de trouver la chaise elle-même. Comme l'avait expliqué la mère de Mady, cette chaise ne devrait pas avoir de courbure, avec un dossier très incliné. On descendit

en ville, voir les magasins, pas pour en acheter une, bien sûr, c'était certainement trop cher, simplement pour voir comment elles étaient faites. Aucune ne nous plut. Mais le Tondu qui, à présent, se montrait le plus acharné, dénicha, je ne sais où, une sorte de fauteuil en rotin, presque neuf, sur lequel on fixerait un nouveau dossier mobile. Le plus délicat serait le système de direction des deux roues avant. Il faudrait prévoir aussi deux freins, un pour celui qui manœuvrerait la voiture, l'autre à portée de main de Mady, pour éviter tout accident au cas où on la laisserait un moment seule sur sa chaise. Quant au matelas, la mère de Mady m'avait prévenu; nous l'aurions aimé souple et doux; au contraire, il le fallait pas trop épais et assez dur; le docteur l'avait dit.

Ce travail occupa nos soirées pendant plusieurs jours. Mais, c'était curieux, ni les autres « Gros-Caillou » ni moi n'avions l'impression d'oublier Kafi. Au contraire. En cherchant Kafi, j'avais rencontré Mady, il nous semblait qu'en nous occupant de la petite malade nous travaillions aussi à retrouver mon chien... Et puis, Mady avait si bien su nous redonner confiance.

Enfin la voiture fut prête. Elle n'était peut-être pas très belle, très harmonieuse de lignes, mais dans aucun magasin nous n'en aurions trouvé une mieux adaptée... et pour du solide, c'était du solide. On décida de l'essayer, chacun son tour, dans la Grande-Côte, une rue qui descend du haut en bas de la Croix-Rousse. Deux fois, trois

fois, l'étrange véhicule dévala la pente à toute vitesse, comme un bolide, mais à la quatrième, un agent siffla le Tondu et Gnafron, les menaçant d'une contravention pour entrave à la circulation avec un engin non réglementaire.

Il ne nous restait plus qu'à attendre le premier beau jour. Par chance, il tomba un jeudi. On se donna rendez-vous, au début de l'après-midi, au bas de la Rampe des Pirates. De là, la voiture fut roulée vers la rue des Hautes-Buttes. Comme pour l'arrivée de Kafi, tout avait été prévu, organisé. Je monterais chez Mady avec Corget, Gnafron et le Tondu (le plus fort de la bande), tandis que les autres attendraient en bas.

En frappant à la porte, je tremblais d'émotion. La mère de Mady, pourtant prévenue, eut les larmes aux yeux en nous ouvrant. Je m'avançai le premier, tout embarrassé. Nous

devions, tous les trois, faire une drôle de tête car, aussitôt, Mady s'écria :

« Mon Dieu! qu'avez-vous?... qu'est-il arrivé?.. et comment êtes-vous habillés? »

Il faut dire que pour cette fête (c'en était vraiment une pour nous) nous avions fait toilette. C'était moi qui devais parler. Ma gorge serrée ne laissa sortir aucun son. Alors, le petit Gnafron s'avança, à ma place et, d'un air solennel qui le rendait comique, déclara :

« Le carrosse de mademoiselle est avancé!... »

Mady ouvrit des yeux étonnés, ne comprenant toujours pas, mais au même moment, de la cuisine, parvinrent des sanglots étouffés. Sa mère n'avait pu contenir son émotion.

« Oh! Mady, s'écria-t-elle en accourant... c'est une surprise, une belle surprise qu'ils ont voulu te faire... ils t'ont construit une voiture, ils viennent te chercher pour t'emmener en promenade!

— En promenade?... moi? »

Mady demeura immobile comme si elle faisait un grand effort pour réaliser dans son esprit ce qu'elle avait entendu. Puis deux larmes glissèrent de ses paupières. Enfin ses lèvres sourirent; tout son visage s'illumina.

« En promenade!... je vais revoir les rues, les arbres! »

Elle tendit les bras vers nous et répéta :

« En promenade!... c'est merveilleux! »

Sa mère nous aida à la descendre. Le docteur lui avait expliqué comment s'y prendre pour ne pas contrarier l'articulation malade.

Quand, à la dernière marche, Mady aperçut la chaise roulante rangée le long du trottoir et, derrière, les « Gros-Caillou » alignés et endimanchés, les larmes lui montèrent encore aux yeux.

« C'est donc bien vrai, je vais me promener!... »

On la déposa avec précaution sur sa chaise roulante qu'elle trouva aussi confortable, même plus confortable, que celle de sa chambre.

« Et vous ne m'aviez rien dit, faisait-elle en riant... Ah! c'est pour cela que vous veniez moins souvent me voir ces derniers jours; vous construisiez mon carrosse! »

Alors, je me penchai vers elle, lui demandai où elle aimerait aller.

« Où j'aimerais aller? » reprit-elle.

Elle me regarda dans les yeux et sourit.

« Ecoute, Tidou, pendant que vous étiez tous si occupés, moi j'ai encore beaucoup pensé à Kafi. Pour ma première sortie j'aimerais voir l'endroit où tu l'as perdu : le quai Saint-Vincent... »

CHAPITRE XII

UN JOUR, AU BORD DU RHONE...

Ainsi, chaque fois qu'il faisait beau, le soir, après la classe, nous venions chercher Mady pour sa promenade. Quand l'air était trop vif, elle s'enveloppait dans une couverture et mettait un passe-montagne qui ne laissit voir que le bout de son nez rougi par le froid. Son carrosse ne manquait jamais de chevaux; il avait même fallu organiser un roulement, mais moi j'avais le privilège d'être de toutes les sorties et, pour rien au monde, je n'y aurais renoncé.

J'insistais pour la conduire au parc de la Tête-d'Or pas très éloigné. Je pensais qu'elle serait heureuse de voir les bourgeons aux branches des marronniers et les premiers canots glisser sur le lac. Elle secouait la tête.

« Non, pas au parc... sur les quais... ou plutôt du côté de Fourvière; c'est pénible pour vous, à cause de toutes ces montées, mais j'aime bien ces quartiers-là. »

Nous savions qu'elle ne disait pas tout à fait la vérité. Elle poursuivait son idée. Elle s'entêtait à croire à son rêve qui lui avait fait voir Kafi, errant dans ces vieux quartiers. Hélas! plus de trois mois que Kafi avait disparu. De nouveau, je perdais espoir. Il m'arrivait, en poussant sa chaise roulante, de rester longtemps sans dire un mot et de soupirer.

« Les garçons, faisait-elle alors en riant, ça n'a pas de patience. Tu verras, Tidou, tu verras!... »

Je me sentais un peu honteux. Elle avait d'ailleurs raison de s'obstiner puisqu'un jour...

C'était un dimanche. Il faisait si beau que je proposai à Mady de descendre sur le cours qui longe le Rhône, juste au pied de la Croix-Rousse. Elle verrait passer beaucoup de monde, cela la distrairait.

« Oh oui! fit-elle en battant des mains, sur le cours. »

Ce jour-là, avec moi, il y avait Corget et un autre Gros-Caillou qu'on appelait Bistèque, parce que son père travaillait dans une boucherie, un « gone » aussi blond que le petit

Gnafron était noir. On n'était qu'au début de mars, mais il faisait si beau qu'on se serait cru en avril et même en mai. Les gens marchaient plus lentement que d'ordinaire; beaucoup se dirigeaient vers le parc. Je proposai d'aller, nous aussi, jusque-là.

« Non, Tidou, ici aussi il y a des arbres, et le Rhône est si beau avec ses mouettes... et puis nous verrons plus de monde... et plus de chiens. »

Alors nous arrêtons son carrosse tout contre le parapet, en plein soleil, comme elle le demande et tous les trois, Corget, Bistèque et moi nous nous asseyons sur le petit mur. Vraiment, il fait très beau, les gens qui passent ont l'air heureux... les chiens aussi, qui tirent sur leur laisse pour se donner un peu plus de liberté. Ah! si Kafi était là!... Ce soleil me rappelle Reillanette, les courses folles avec lui dans les champs.

Nous sommes assis depuis un long moment quand Bistèque, qui ne tient jamais en place, et balance ses jambes le long du parapet, déclare :

« Si nous allions plus loin, à présent?

— Oh! je ne m'ennuie pas, fait Mady, mais vous devez avoir des fourmis dans les jambes. Si vous descendiez au bord du Rhône!... »

Nous hésitons.

« Si, insiste-t-elle, avec tout ce monde qui passe, je ne m'ennuierai pas... et, avec mon frein de secours, je ne risque pas de partir à la dérive! »

J'hésite encore. Un pressentiment me dit de ne pas m'éloigner, mais les autres m'entraînent. Nous dégringolons les marches qui mènent au fleuve. Là-bas, sur les Alpes, les neiges n'ont pas encore commencé à fondre car les eaux sont restées basses. Une langue de sable et de gravier s'étire le long de la rive.

« Chic! fait Bistèque, on va pouvoir organiser quelque chose. »

Corget approuve, moi, je n'ai guère envie de m'amuser. Je pense toujours à Kafi, à la rivière de Reillanette, aux bâtons que je lançais dans l'eau et qu'il allait chercher à la nage. Mais les autres m'attendent. Bistèque connaît toutes sortes de jeu. Il vient de ramasser des bouts de bois charriés par le Rhône et les plante dans le gravier. Nous entamons une partie de quilles. Malgré moi, à plusieurs reprises, je me retourne vers le quai, comme si Mady m'appelait.

« Mais non, fait Corget, ça lui faisait plaisir de rester un moment seule. »

Et, je me laisse prendre au jeu. A grands coups de galets nous abattons les quilles. Nous nous échauffons, une partie succède à une autre. Il fait si chaud sur ce sable rendu brûlant par le soleil que nous enlevons nos vestes. Tout à coup, relevant la tête, je crois apercevoir la main de Mady qui s'agite, dépassant à peine le parapet.

« Corget! Bistèque!... venez vite, elle nous appelle; il lui est sûrement arrivé quelque chose! »

Reprenant vivement nos vestes, nous escala-

dons quatre à quatre les marches du quai. Je débouche, le premier, sur le cours.

« Oh!... »

C'est à peine si on reconnaît Mady, dressée sur sa chaise malgré la défense du docteur, et toute pâle.

« Mady! qu'y a-t-il? »

Elle tremble si fort qu'elle peut à peine parler.

« Kafi!... je l'ai vu... là!... trop tard!...

— Tu l'as vu?... tu es sûre?...

— Absolument sûre... il est parti, dans une auto; il y a à peine cinq minutes. »

C'est moi, à présent, qui me mets à trembler. Plusieurs fois, des « Gros-Caillou » ont cru apercevoir mon chien, ils s'étaient trompés; mais Mady?... Il me semble qu'elle n'a pas pu se méprendre.

« Dans une auto, dis-tu?... et tu as eu le temps de le reconnaître?

— Cette auto venait de passer devant moi, son moteur avait des ratés; elle s'est arrêtée un peu plus loin, juste à la hauteur de ce platane qui a une grosse branche tordue.

— Et alors, Mady?

— Un homme est descendu; il a sussitôt soulevé le capot pour trafiquer le moteur. Par deux fois, il s'est remis au volant pour essayer de repartir, le moteur ne voulait plus démarrer. Alors il est descendu de nouveau, je l'ai vu s'éloigner pour aller sans doute demander l'aide d'un garagiste ou d'un mécanicien. Il avait une drôle d'allure, un gros cache-nez autour du cou, comme quelqu'un qui est enrhumé.

— Mais Kafi?

— Il me semblait qu'il y avait quelqu'un à l'intérieur, je voyais quelque chose bouger, mais pas distinctement parce que l'homme avait laissé le capot relevé et que cela faisait de l'ombre dans la voiture. Puis, tout à coup, j'ai aperçu une tête de chien à la portière, une tête de chien-loup. Mon cœur a fait un bond, j'ai tout de suite pensé à Kafi. Alors, j'ai appelé. Il n'a pas entendu; les voitures qui passaient faisaient trop de bruit. J'ai appelé, plus fort encore : « Kafi!... Kafi!... » Tout à coup, le chien a dressé les oreilles, cherchant d'où venait l'appel. Quand j'ai vu qu'il me regardait, j'ai appelé encore, de toutes mes forces. Alors, le chien a bondi par la vitre ouverte et s'est avancé. A vingt mètres de moi, il s'est arrêté,

m'a regardée et j'ai de nouveau prononcé son nom. Ses oreilles ont remué et il a penché la tête. A ce moment-là, j'ai bien eu le temps de le voir. Ses pattes étaient rousses, exactement comme tu me l'avais dit. Je l'ai encore appelé, très doucement. Il s'est avancé, toujours plus près de moi. Par petites étapes, il est arrivé ainsi jusqu'au bord du trottoir, là, à moins de trois mètres. A ce moment, au lieu de me fixer, il s'est mis à flairer le sol, s'est approché du parapet, à l'endroit où tu étais assis, Tidou. Puis, il est venu derrière la chaise longue et j'ai compris qu'il flairait la poignée où tu poses tes mains pour me pousser. Je ne pouvais pas me retourner pour le voir mais il était si près qu'en allongeant le bras j'aurais pu le toucher. Alors j'ai dit : « Tidou?... où est Tidou? » et il a eu un petit aboiement de joie. Mais juste à ce moment, il a sursauté et s'est enfui. L'homme était revenu près de la voiture et l'avait rappelé d'un coup de sifflet. »

Mady s'arrête, à bout de souffle et d'émotion, les yeux brillants de larmes. Penchés sur son « carrosse » nous avons tous trois écouté, la respiration suspendue. Cette fois, plus de doute, c'est bien Kafi. Jamais, depuis le jour de sa disparition, je ne me suis senti pareillement bouleversé.

« Et après, Mady, que s'est-il passé?

— L'homme au cache-nez était si furieux qu'il a frappé Kafi et l'a fait aussitôt remonter dans la voiture, pendant que le mécanicien, qu'il avait ramené, cherchait la panne. J'ai fait

de grands gestes pour qu'il me voie, qu'il vienne jusqu'ici; il ne m'a pas aperçue. Alors j'ai fait signe à un vieux monsieur qui passait, lui ai demandé d'aller appeler le chauffeur de l'auto. Il n'a pas compris, je pense qu'il était sourd. J'ai dû attendre un autre passant, une dame qui justement promenait un petit chien. Hélas! elle n'a pas eu le temps; la voiture démarrait, elle n'a pu m'amener que le mécanicien qui, lui, ne connaissait pas cet automobiliste de passage. »

Elle s'arrêta encore, essoufflée, désespérée.

« Oh! quelle malchance, soupire-t-elle... si vous aviez été là! C'est ma faute! si j'avais pu me lever, courir!... »

Pendant quelques instants, nous restons tous

silencieux, décontenancés. Quelle malchance, en effet!

« Cette auto, demande Corget, comment était-elle?

— Je ne voyais que l'arrière, je n'ai pas reconnu la marque; tout ce que je peux dire c'est qu'elle était noire.

— Et son numéro?

— Hélas! cette borne-fontaine que vous voyez, là-bas, me le cachait. Quand elle a démarré je n'ai pu lire que les derniers chiffres, le numéro 69.

— Oui, fait Bistèque, le numéro de Lyon, cela ne peut pas nous apprendre grand-chose.

— Et de quel côté est-elle partie?

— Elle a suivi le cours et je l'ai vu tourner à droite, vers le centre de la ville. »

Impossible donc de la retrouver! Mais tout à coup Mady tend son regard vers l'endroit où elle stationnait.

« Oh! je me souviens... juste au moment où la voiture allait démarrer, l'homme a jeté quelque chose par la portière, un bout de papier peut-être, ou de carton. Allez voir, on ne sait jamais!... »

Nous nous précipitons. Le long du trottoir, je ramasse une petite boîte vide que j'apporte aussitôt à Mady.

« Oui, ce doit être cela! »

C'est une boîte de pastilles pour la toux. L'homme, qui était enrhumé, puisqu'il avait le cou entouré d'un cache-nez, a dû la jeter en prenant le dernier comprimé... cela ne peut

guère nous être utile. Mais soudain Corget pousse une exclamation.

« Regardez!... là!... »

Sur le fond de la boîte, il vient de découvrir, apposée avec un cachet, mais à peine marquée, cette inscription.

Pharmacie du Serpent-Vert,
2, rue Traversac

Nous nous regardons tous. Corget et Bistèque se grattent la tête pour mieux réfléchir.

« Ça y est, fait vivement Bistèque, j'ai trouvé! la rue Traversac, mais oui, c'est bien ça, une petite rue qui grimpe presque autant que les Hautes-Buttes, juste sous la basilique de Fourvière.

— Fourvière! s'écrie Mady, tu as dit Fourvière!... comme dans mon rêve!... »

Puis, me prenant les mains.

« Oh! Tidou, je le savais, c'est là que nous retrouverons Kafi!... »

CHAPITRE XIII

LA NOUVELLE PISTE

BISTÈQUE ne s'était pas trompé. Sitôt Mady reconduite chez elle, nous avions couru à Fourvière, cette colline de Lyon, qui fait pendant à la Croix-Rousse, de l'autre côté de la Saône. La rue Traversac partait du pied de la colline pour s'élever, en se tortillant, vers la basilique qui la couronne. La pharmacie du Serpent-Vert se trouvait presque en bas; une vieille pharmacie démodée, aux étagères pleines de flacons et de bocaux, mais le

dimanche, elle était fermée... D'ailleurs, qu'aurions-nous demandé?

Le lendemain tous les « Gros-Caillou » se retrouvent dans la caverne de la Rampe des Pirates. Avec force détails, Corget, Bistèque et moi, nous refaisons le récit de l'événement de la veille. Cette fois, personne ne doute. Mady n'a pas pu se tromper. C'est bien Kafi qu'elle a vu. Un autre chien n'aurait pas abandonné l'auto qu'il gardait, ne serait pas venu renifler le parapet et la chaise longue à roulettes, n'aurait pas aboyé de plaisir en entendant prononcer son nom.

Quel dommage que Mady n'ait pu relever le numéro de l'auto! nous aurions peut-être retrouvé son propriétaire... et Kafi. Notre seule chance, c'est la petite boîte de pastilles.

« Bien sûr, explique Corget, si l'homme l'a achetée dans cette pharmacie, c'est probablement qu'il habite le quartier... ou qu'il y vient souvent.

— Oui, fait le Tondu, mais moi, ce qui m'étonne, c'est justement que Kafi ait été recueilli dans ce quartier. Tout le monde le sait, Fourvière n'est pas un quartier riche. Un chien comme Kafi coûte cher à nourrir, autant qu'une personne.

— Ça me chiffonne aussi, approuve Gnafron... Voyons, cet automobiliste, de quoi avait-il l'air, au juste, d'après Mady?

— On vous l'a dit, il se trouvait à plus de cinquante mètres, elle n'a pas pu le détailler. Il avait un chapeau gris et un cache-nez, à peine

si elle a aperçu son visage... Quant à l'auto, elle l'a dit aussi : une voiture noire, ni très neuve, ni très vieille, une voiture comme on en voit des milliers dans Lyon.

— Moi, fit la Guille, un « Gros-Caillou » de fraîche date, surnommé ainsi parce qu'il avait longtemps habité le quartier de la Guillotière, on ne m'enlèvera pas de la tête l'idée que Kafi n'a pas changé de maître depuis qu'il a disparu.

— Pourquoi dis-tu cela?

— Parce que, justement, je crois qu'il a été emmené par les cambrioleurs de la rue des Rouettes et que ces gens-là n'habitent pas un beau quartier.

— Oui, fit Gnafron, Mady y a déjà pensé... mais pourquoi les voleurs auraient-ils gardé un chien comme celui-là? ils auraient pu le vendre pour se faire de l'argent. Vous n'allez pas me dire qu'ils s'y sont attachés; ce n'est pas le genre des cambrioleurs.

— Alors, peut-être qu'ils s'en servent?

— Pour quoi faire? Kafi est un chien-loup, c'est entendu, mais pas un chien policier; il n'a pas été dressé, n'est-ce pas, Tidou? »

Plus nous cherchons, moins nous trouvons. Une seule chose est certaine : désormais, c'est vers Fourvière que nous dirigerons nos recherches.

Heureusement, les soirs sont devenus beaucoup plus longs. Le jour se prolonge jusqu'à sept heures. Si nous nous attardons un peu, ni ma mère, ni celles des autres « Gros-Caillou »

ne s'inquiéteront, puisqu'elles nous savent avec Mady.

Alors, chaque soir, nous partons en campagne, avec Mady quand il fait beau, seuls quand le temps est trop froid ou qu'il pleut, ce qui arrive souvent. Quand nous emmenons notre petite malade dans ces rues encore plus en pente que celles de la Croix-Rousse, nous ne sommes pas trop de quatre pour pousser le « carrosse ». Nous nous arrangeons toujours pour passer devant la pharmacie de la rue Traversac comme si le serpent vert de l'enseigne devait nous livrer le secret. Une fois même, Gnafron et moi nous nous décidons à entrer pour être sûrs qu'on y vend bien les pastilles dont nous avons retrouvé une boîte. Nous en achetons, nous nous enhardissons même à demander au pharmacien si elles sont bonnes et s'il en vend beaucoup. Le bonhomme nous regarde d'un tel air soupçonneux que nous n'attendons pas la réponse.

Plusieurs jours passent. Nous avons parcouru toutes les rues de Fourvière, levé le nez vers toutes les fenêtres, tous les balcons, regardé par-dessus tous les murs qui peuvent abriter des cours ou des jardins. Rien.

J'ai beau me répéter que Kafi est vivant, dans Lyon, je ne peux m'empêcher de penser à ce qu'a vu Mady : l'homme frappant Kafi. Mon chien malheureux, c'est aussi odieux que si on me frappait, moi.

Alors, Mady essaie de me rassurer.

« Il l'a battu, oui, mais Kafi lui avait désobéi

Il ne le frappe peut-être pas souvent. De toute façon, c'est bientôt fini... puisque nous allons le délivrer. »

Chère Mady! Après sa déception, l'autre jour, d'avoir été impuissante à rejoindre l'homme, elle a reconquis toute sa confiance. Si, un jour, je retrouve mon chien, elle sera aussi heureuse que moi. Elle en oublie de penser à elle. Pourtant, je sais qu'à sa dernière visite, le docteur n'a pas été encourageant. Quand elle lui a demandé si elle serait guérie avant l'été, il a hoché la tête en disant : « Nous verrons ça, après l'examen. » Le surlendemain, on l'a descendue à l'hôpital, pour la radio. Le soir, quand je suis monté la voir, elle souriait comme les autres jours, mais j'ai bien vu qu'elle se forçait. Sa mère m'a avoué que si sa petite malade restait à Lyon, elle ne guérirait jamais, à cause du soleil qui lui manquait. Le docteur avait dit aussi qu'elle devait réduire ses promenades sur la chaise roulante. Je pensai alors que c'était peut-être notre faute si son mal s'était aggravé, à cause des secousses du carrosse, malgré les précautions que nous prenions. Non, ce n'était pas cela. Cependant, par prudence, elle ne sortirait plus qu'une fois par semaine, le jeudi, par exemple.

« Oui, fit-elle, en m'annonçant cette mauvaise nouvelle, le jeudi seulement... c'est quand même mieux qu'autrefois, puisque je ne quittais pas du tout ma chambre... D'ailleurs, pour vous aussi c'était fatigant de me pousser dans ces rues qui montent. »

Pauvre Mady! elle essayait de faire contre mauvaise fortune bon cœur, mais elle aurait tant de chagrin en quittant à nouveau sa maison, car le docteur l'avait bien dit, elle devrait repartir.

... Ainsi, à présent, sans elle, nous continuons de déambuler les rues de Fourvière. Mais, c'est étrange, on la dirait toujours parmi nous... et, finalement, c'est encore elle qui retrouvera la piste perdue.

Ce jeudi-là, nous sommes venus la chercher dès le début de l'après-midi. Le temps est couvert, humide; cependant il ne pleut pas. Voyant le ciel menaçant, sa mère hésite à la laisser partir. Nous promettons de la ramener à la première goutte de pluie. Comme les autres fois, nous passons par le quai Saint-Vincent qui, malgré tout, continue de nous attirer. Puis nous traversons la Saône et la montée commence. Nous sommes huit autour du carrosse, presque toute la bande des « Gros-Caillou ». Mais nous ne pouvons pas, tout l'après-midi, promener Mady dans ces rues tortueuses qui grimpent et dégringolent sans cesse. D'ailleurs le docteur a bien recommandé : pas de secousses.

« Conduisez-moi, comme la dernière fois, sur cette terrasse d'où la vue est si belle; vous m'y laisserez pendant que vous irez à nouveau explorer le quartier. »

Cette terrasse, qui ne porte pas de nom, ressemble au Toit aux Canuts; la vue est même encore plus étendue. D'un côté, un mur bas semblable à un parapet, de l'autre un escalier

« *Non... c'est mon chien qui m'a mordu.* »

de pierre, à droite un petit café et, à côté, une boucherie.

« Ne vous inquiétez pas, fait Mady, je ne m'ennuierai pas... d'ailleurs, j'ai apporté un livre. »

Au dernier moment, pensant à ce qui est déjà arrivé, j'hésite à la laisser seule. Elle insiste.

« Si, Tidou, fait-elle en riant, tu peux me laisser, il vaut mieux que nous soyons tous dispersés. »

Par précaution, comme le temps demeure menaçant, j'étends mon imperméable sur ses jambes et je promets de revenir vite en cas d'averse.

Me voilà parti, au hasard, comme les autres fois. Je connais à présent toutes les rues, toutes les montées, tous les escaliers. Naturellement, je commence par rôder autour de la pharmacie du Serpent-Vert puis je remonte jusque derrière la basilique, dans des quartiers presque déserts. Pendant ce temps, les autres « Gros-Caillou » sont partis de leur côté. Parfois j'en rencontre un. De loin nous échangeons un signe de la main, hélas! toujours le même : rien!

Six heures viennent de sonner, quelque part, à un clocher, l'heure du rendez-vous sur la terrasse, pour le retour. Nous arrivons presque tous ensemble. Que s'est-il passé? Mady a changé de place, elle n'est plus près du petit mur où je l'avais laissée mais contre la devanture de la boucherie, sous le rideau de toile. A son visage, à sa façon de sourire, je vois tout

de suite qu'elle a quelque chose à nous dire.

« Qu'y a-t-il, Mady? »

Elle pose un doigt sur ses lèvres.

« Vite, poussez-moi plus loin, je vous expliquerai. »

Nous arrêtons le carrosse, dans une encoignure, à mi-chemin de la descente.

« Tu as encore aperçu Kafi?

— Non, pas Kafi.

— L'homme?

— Non plus... écoutez plutôt. »

Elle raconte qu'à un moment, quelques gouttes de pluie sont tombées sur la terrasse. Complaisante, la bouchère est sortie, à poussé la chaise sous l'auvent de la boutique.

« Comme vous l'avez constaté, je me trouvais tout près de la porte. De temps en temps, une cliente entrait, j'entendais tout ce qui se disait à l'intérieur. Tout à coup, j'ai tendu l'oreille.

« — Oh! faisait la bouchère à une cliente,
« que vous est-il arrivé? un accident ?

« — Non... c'est mon chien qui m'a mor-
« due.

« — Vous?... sa maîtresse?... il est donc mé-
« chant?

« — Ce n'est rien, juste un coup de croc...
« mais un croc de chien-loup, pointu comme
« une aiguille. »

« Vous pensez si mon cœur a bondi. J'ai attendu avec impatience que la femme sorte. En effet, sa main gauche était bandée. Elle avait un air bizarre et des vêtements plutôt râpés. Elle a pris l'escalier, à gauche de la terrasse, et

a disparu. Un moment plus tard, n'ayant plus de clients à servir, la bouchère est sortie, sur le pas de la porte, et m'a tenu compagnie. Je me suis arrangée pour amener la conversation sur les chiens en disant que j'avais entendu ce que racontait sa cliente. Je lui ai demandé si elle la connaissait. Oh! rassurez-vous, je n'ai pas laissé entendre que nous recherchions un chien volé. Elle n'a pas deviné pourquoi je posais toutes ces questions. Ainsi j'ai appris que cette femme, dont la bouchère ignorait le nom, venait assez régulièrement, plusieurs fois par semaine, mais jamais avec son chien. Cela m'a paru assez curieux. D'ordinaire, en ville, les ménagères profitent de leurs courses pour faire prendre l'air à leur chien... mais là n'est pas le plus étrange. J'ai su aussi, toujours par la bouchère, que cette cliente ne devait pas avoir le sien depuis longtemps, trois ou quatre mois, au plus, car, auparavant, jamais elle ne réclamait d'os et de déchets pour lui. »

Mon cœur, à moi aussi, fait un bond. Trois ou quatre mois! l'époque où Kafi a disparu.

« Oui, Tidou, fait Mady, bouleversée, voilà ce que j'ai appris... et cette femme, nous la retrouverons sans doute facilement puisqu'elle vient là plusieurs fois par semaine chercher sa viande... Vous la reconnaîtrez facilement. Vous pensez si je l'ai détaillée! elle portait un manteau beige, avec, aux manches, des parements de fourrure plutôt râpés. Elle emportait sa viande dans un sac à provisions fait de petits carrés de cuir, rouges et verts, cousus ensemble,

en forme de damier. Elle avait vraiment un drôle d'air, pas sympathique du tout. »

Nous sommes tous penchés sur elle, à l'écouter, persuadés, qu'en effet, elle vient une seconde fois de retrouver la piste de Kafi. Mais, soudain, le temps se gâte tout à fait; la pluie commence à tomber; nous devons rentrer au plus vite.

Une demi-heure plus tard, Mady est de nouveau installée dans sa chambre où nous venons de la remonter avec d'infinies précautions. Au moment où, le dernier, je vais la quitter, elle me retient. Son visage, si radieux tout à l'heure, quand elle nous a annoncé sa découverte, se voile.

« Tidou, fait-elle, je suis sûre, à présent, que tu vas bientôt retrouver ton chien. Oh! comme j'aurais voulu être là!...

— Mais tu seras là, Mady! »

Elle baisse la tête.

« Je ne crois pas, Tidou! »

Je prends sa main, la serre très fort.

« Tu vas partir?... bientôt?

— Papa est en train de faire les démarches,... la semaine prochaine sans doute... C'était aujourd'hui ma dernière sortie avec vous.

— Oh! Mady, tu ne nous avais rien dit?... tu nous a laissé partir dans toutes ces rues pendant que tu pleurais?

— Non, Tidou, je n'ai pas pleuré... et si vous m'aviez emmenée, je n'aurais pas parlé à la bouchère. Oh! si tu allais retrouver ton chien, comme je serais heureuse! Vois-tu, ça ne me

fera plus rien de repartir dans cette grande maison que je n'aime pas... Les « Gros-Caillou » et toi vous avez tous été si gentils pour moi, je voudrais tant vous avoir vraiment aidés. »

Elle sourit de nouveau, mais moi, malgré mon espoir revenu, je ne peux répondre à ce sourire. Pauvre Mady !

CHAPITRE XIV

UNE MAISON GRISE

LE LENDEMAIN, sitôt l'école finie, on grimpa à Fourvière, pour rôder autour de la boucherie. La femme au manteau beige ne parut pas... et le jour suivant non plus. Comme beaucoup de ménagères, faisait-elle ses emplettes plutôt le matin?... Nous eûmes très envie de questionner la bouchère, mais j'avais peur d'éveiller les soupçons.

Heureusement, les vacances de Pâques étaient

là; nous allions pouvoir, du matin au soir, nous relayer sur la terrasse et la femme au manteau beige ne pourrait nous échapper longtemps.

Dès le lundi, en effet, j'étais chez moi, à table, avec mes parents, quand je reconnus soudain, dans la rue, le sifflet perçant de Gnafron. S'il m'appelait ainsi c'est qu'il avait quelque chose d'important à me dire. Je me retins à grand-peine de courir à la fenêtre. La dernière bouchée avalée, je dégringolai comme un fou les cinq étages. Corget et Gnafron m'attendaient, avec des mines de conspirateurs.

« Tu ne nous entendais donc pas, fit Gnafron... ou alors, il y avait banquet chez toi?

— Qu'y a-t-il?

— Viens! on t'expliquera. »

Ils m'entraînèrent au bas de la rue.

« Oui, fit Corget, on l'a vue... et sa maison aussi. Suis-nous jusqu'à Fourvière, tu te rendras compte des lieux. »

Tout en marchant, ils m'expliquèrent ce qu'ils avaient fait.

« Voilà comment ça s'est passé. Nous étions depuis un bon moment sur la terrasse; pour avoir l'air de faire quelque chose, Corget et moi, on jouait aux billes, près du petit mur. A onze heures moins le quart, on l'a vue arriver, tout comme Mady nous l'avait décrite, avec son manteau beige et son sac à carreaux rouges et verts; pas moyen de se tromper. Cependant sa main devait être guérie car elle ne portait plus de pansement. Quand elle est sortie, nous avons continué à jouer, pour ne pas attirer son atten-

tion. Elle a descendu lentement les marches de la terrasse. Alors nous l'avons suivie... mais de loin. Elle a tourné à droite, puis encore à droite, finalement elle s'est arrêtée devant une maison grise, une sorte d'ancienne villa, mal entretenue, entourée de murs, comme il y en a beaucoup dans ce quartier. Elle a sorti une clef de la poche de son manteau et est entrée. Nous avons attendu un moment, pour être sûrs qu'elle n'allait pas repartir; alors, nous nous sommes avancés. Il n'y avait rien sur la porte, aucun nom; nous avons remarqué que les rideaux des deux fenêtres sur la rue n'étaient pas des rideaux ordinaires mais des rideaux épais, en étoffe; cela nous a paru bizarre.

— Et Kafi, vous l'avez entendu?

— Non, mais attends qu'on finisse de t'expliquer. Nous avons alors dépassé la maison en suivant le mur de clôture. Là, entre ce mur et celui de la propriété voisine, une sorte de vieille villa, elle aussi, nous avons trouvé un escalier de pierre qui doit rejoindre une autre rue, plus bas; nous nous sommes cachés pour écouter... seulement, tu comprends, Tidou, nous n'avons pas appelé Kafi, il n'aurait pas reconnu notre voix; pas la peine de le faire aboyer inutilement. C'est pour ça que nous sommes venus te chercher. »

Nous avions traversé la Saône; Fourvière se dressait devant nous avec sa basilique et sa tour, pareille à la tour Eiffel. Nous passâmes encore une fois devant la pharmacie du Serpent-Vert, puis la grimpée commença. Je sen-

tais mon cœur battre très fort. Enfin, on arriva à l'entrée d'une petite rue bordée de murs.

« C'est là, fit Corget, elle s'appelle la rue de l'Ange... la maison est celle que tu vois là-bas, avec une girouette sur le toit. »

Nous nous approchons lentement. Corget et Gnafron ont pris la précaution d'aborder la rue par l'autre bout, de sorte que nous arrivons tout de suite à l'entrée de l'escalier de pierre sans être obligés de passer devant la maison. La pensée que Kafi est peut-être là, tout près, derrière ce mur, me fait trembler de joie et d'inquiétude. Oh! si je l'appelais! Non, il vaut mieux ne pas se trahir avant d'être sûr. Mais justement, comment savoir? Pas d'autre moyen que de regarder par-dessus le mur en se faisant la courte échelle.

Tandis que Gnafron surveille la rue, Corget se colle le dos au mur et croise ses doigts pour que j'y pose mon pied. Lentement, je m'élève contre le mur raboteux d'où se détachent des morceaux de crépi. Mon regard atteint le sommet. Un jardin apparaît, laissé à l'abandon; plus loin, à l'opposé, tout contre la maison, une sorte de hangar. Soudain, mon cœur fait un grand bond. Sous cet abri, se trouve une caisse transformée en niche à chien. Oh! Kafi!... je distingue à peine la forme couchée à l'intérieur, mais c'est lui, j'en suis sûr. Pendant quelques instants, je reste tremblant, les mains crispées sur l'arête du mur. Que faire? les fenêtres de la maison grise, donnant sur le jardin, sont fermées, la femme est sans doute occupée à son

ménage, elle n'entendra pas. Alors, doucement, j'appelle.

« Kafi ! »

A l'intérieur de la niche, la forme a bougé. C'est bien Kafi ! il sort, je le distingue tout entier. Je reconnais sa façon de pencher la tête; il s'avance, tire sur sa chaîne, les oreilles dressées. Alors, de nouveau, j'appelle :

« Kafi !... »

Cette fois, il a compris d'où venait l'appel, son regard s'arrête dans ma direction. A mi-voix, je répète :

« Kafi ! c'est ton ami Tidou ! »

Mon chien m'a reconnu et, au lieu d'aboyer, de tirer sur sa chaîne comme un forcené pour tenter de me rejoindre, il reste immobile, assis sur son train de derrière, fasciné. Je pose vivement un doigt sur mes lèvres pour lui demander de ne pas aboyer; à Reillanette, il connaissait ce geste, que lui faisait souvent maman, quand mon petit frère dormait. Nous restons ainsi, face à face, séparés simplement par un jardin.

Mais, tout à coup, Gnafron me fait signe; des gens passent dans la rue. Je redescends vivement. Mon émotion est si grande que je peux à peine parler, je dois être tout pâle, car Corget me demande aussitôt :

« Qu'as-tu?...

— C'est lui... il m'a reconnu ! »

Que devons-nous faire? Comment savoir de quelle façon mon chien est venu chez ces gens?... et ces gens, qui sont-ils? la maison pa-

raît si étrange, avec ses épais rideaux aux fenêtres et son jardin laissé à l'abandon.

« Si Mady avait raison? fait Gnafron, si ces gens-là étaient bien les cambrioleurs de la rue des Rouettes?... »

Oui, si c'étaient eux? Mais pour moi, il me semble impossible qu'on ne me le rende pas.

« Il faut aller voir, Kafi est à moi, il me suivra. »

Corget et Gnafron hésitent, je les entraîne. Mais au moment de sonner à la porte, il me semble tout à coup qu'il va nous arriver quelque chose. Tant pis, mon doigt est sur le bouton. Un long moment s'écoule.

« Il n'y a peut-être personne », fait Corget.

Au même moment, une clef grince dans la serrure; on entend le bruit d'un verrou. La femme est devant nous.

« Que cherchez-vous?... vous mendiez? »

Je m'avance, soudain très embarrassé, intimidé par l'air bizarre de cette femme qui nous regarde curieusement.

« Je cherche un chien, que j'ai perdu.

— Un chien?... quel chien?

— Un grand chien-loup, au bout des pattes roux. Je l'ai perdu, il y a trois mois, sur le quai Saint-Vincent. »

La femme fronce les sourcils.

« Et alors?...

— Oh! madame, je sais qu'il est ici. Je... je l'ai entendu aboyer, j'ai reconnu sa voix. »

La femme me fixe durement. D'une voix sèche, elle déclare : « Il n'y a pas de chien ici. »

Je m'attendais si peu à pareille réponse que je reste abasourdi. Je me tourne vers mes camarades, comme pour les prendre à témoin.

« Si, madame, fait vivement Corget, il est ici, nous l'avons vu, par-dessus le mur.

— Ah! petits vauriens, vous êtes montés sur le mur!... mais vous avez mal vu, il n'y a pas de chien dans cette maison. Filez, si vous ne voulez pas que j'appelle la police; et que mon mari ne vous trouve pas dans ces parages!... »

Nous foudroyant du regard, elle referme vivement la porte à clef et tire le verrou.

Tous trois nous sommes restés stupides devant la porte. En levant les yeux vers la fenêtre, Gnafron voit l'épais rideau bouger. La femme doit nous observer. Eloignons-nous.

Nous nous retrouvons au bas de la rue de l'Ange, dans une encoignure de jardin. Comme dans les moments graves, Corget passe ses

doigts dans le col de sa chemise et Gnafron se gratte la tête.

Pourquoi cette femme a-t-elle menti? Pourquoi a-t-elle eu ce mouvement de surprise quand j'ai prononcé le nom du quai Saint-Vincent?...

« Mady avait raison, fait Gnafron, nous sommes bel et bien tombés sur les voleurs de la rue des Rouettes. Si ton chien, Tidou, avait été simplement acheté par ces gens, la femme n'aurait pas répondu ainsi. »

Moi, je suis désespéré. Comment reprendre Kafi à présent? Un instant, je songe à revenir frapper à la porte en proposant de l'argent.

« Bien sûr, fait Corget, à nous tous nous arriverions à réunir une petite somme; ce n'est pas la peine; ces gens-là ne marcheront pas... Peut-être que la police...

— Non, coupe le petit Gnafron, vous avez vu, l'autre fois, on s'est moqué de nous.

— Mais si nous disons que nous sommes sur la piste des voleurs de la rue des Rouettes.

— Ils ne nous croiront pas... et comment prouver que ce sont eux? Nous ne savons rien, seulement que Kafi est chez eux; ils pourraient toujours dire qu'ils l'ont acheté à un marchand ambulant. »

Bien sûr, rien ne peut démontrer qu'ils ont volé Kafi. Après ma joie de tout à l'heure, je ne sais plus que penser, que faire.

« Retournons là-bas, près de la maison. »

Toujours longeant les murs, nous remontons la rue de l'Ange jusqu'à l'entrée de l'escalier de

pierre où nous nous dissimulons de nouveau, j'ai bien envie de jeter un regard par-dessus le mur pour apercevoir encore une fois mon pauvre Kafi mais ce serait trop imprudent, à présent.

« Essayons plutôt de faire le tour de la maison, en longeant le mur », propose Corget.

Sans bruit, pour ne pas alerter Kafi, nous descendons d'une trentaine de marches l'escalier de pierre. A cet endroit, le mur de clôture de la maison grise cesse de côtoyer l'escalier. Il fait un angle droit vers la gauche. Nous obliquons à gauche nous aussi; mais cette partie du mur est construite sur une pente rocailleuse presque abrupte. Nous devons avancer, en file indienne, en s'aidant des mains, pour ne pas perdre l'équilibre. Au bout d'une quarantaine de mètres le mur change d'aspect, de couleur. Nous sommes parvenus à l'extrémité de la propriété. D'après ce que j'ai pu voir, tout à l'heure, l'espèce de hangar où Kafi a sa niche doit se trouver exactement derrière le mur, à quelques pas de nous, seulement. Mon cœur se remet à battre. Nous échangeons quelques mots, tout bas... pas assez bas, cependant. Kafi a entendu. Il se met à aboyer. Comme tout à l'heure, je l'invite au silence.

« Tais-toi, Kafi... c'est Tidou! »

Mais on entend claquer une porte, la porte de la maison qui donne sur le jardin. Une voix d'homme fait taire Kafi qui laisse échapper un gémissement comme s'il avait reçu un coup. Puis la femme intervient à son tour, nous

sommes si près que nous reconnaissons le son nasillard de sa voix. L'homme et la femme semblent se disputer. Oh! si nous pouvions comprendre ce qu'ils disent.

« Corget, fais-moi la courte échelle!... »

Ce n'est pas très facile, à cause du terrain en pente sur lequel Corget doit chercher un appui. Gnafron me maintient de son mieux tandis que je m'élève. En m'étirant j'arrive à m'agripper au sommet du mur. Heureusement, le petit hangar couvert de plaques de tôle ondulée, me protège comme un écran. L'homme et la femme sont là, près de la niche où, à présent, Kafi se tait. Je tends l'oreille.

« Pourquoi les as-tu laissés entrer? fait l'homme, sur un ton de colère.

— Je ne les ai pas laissés entrer... ils ont sonné, je suis venue ouvrir.

— Comment ont-ils pu savoir qu'il y a un chien-loup ici?... ils sont du quartier?

— Je ne crois pas, je ne les avais jamais vus... en tout cas, ils avaient l'air bien renseignés. S'ils sont montés sur le mur pour regarder dans le jardin, c'est qu'ils savent quelque chose. »

L'homme et la femme se taisent un instant. Retenant ma respiration, je me cramponne de toutes mes forces contre le mur pour ne pas tomber.

« Et tu dis, reprend l'homme, qu'ils ont parlé du quai Saint-Vincent?

— Oui, ils savent que le chien a été perdu là, il y a trois mois.

— C'est grave; si ces gamins se mêlaient de parler à la police, si on venait enquêter ici?...

— La police ne s'occupe pas des chiens perdus.

— Il suffit d'une fois. »

Nouveau silence, puis l'homme reprend :

« Tant pis! après tout, ce chien ne nous rendait pas tant de services, il était trop vieux pour être convenablement dressé. Mieux vaut s'en débarrasser... et sans tarder.

— Comment?

— Pas en essayant de le perdre, il serait capable dc retrouver son chemin; non, en l'empoisonnant. Descends à la pharmacie, on te donnera ce qu'il faut.

— Tu sais bien qu'aujourd'hui celle du Serpent-Vert est fermée.

— Il n'y a pas qu'une pharmacie à Lyon.

— Ailleurs on ne me donnera pas de poison sans ordonnance; on ne me connaît pas.

— Alors, dès demain matin, tu entends, tu me rapportes le poison, un morceau de viande et j'emmène le « cabot » dans la campagne pour n'avoir pas à l'enterrer dans le jardin.

— C'est bien, j'irai. »

Toute la fin de la discussion a eu lieu à voix basse mais, par les fentes des tôles mal jointes, je n'ai pas perdu un mot. A présent, l'homme et la femme s'éloignent, j'entends se refermer la porte de la maison.

Ainsi, on va tuer Kafi. C'est affreux! Je me demande comment j'ai pu rester là, cramponné au mur, sans crier ma révolte. Sitôt redescendu

des épaules de Corget, je m'effondre, désespéré.

« Kafi!... ils vont le tuer! »

La gorge serrée, je répète ce que je viens d'entendre. Corget et Gnafron restent atterrés.

« Les bandits! » fait Gnafron en serrant les poings.

Cette fois, plus de doute, les ravisseurs de Kafi sont bien les cambrioleurs de la rue des Rouettes. S'ils avaient la conscience tranquille ils n'auraient pas décidé, si brusquement, de faire disparaître mon chien. Oh! non, ce n'est pas possible! Kafi ne va pas mourir. Malgré moi, je me le représente déjà, se tordant de douleur, l'écume à la gueule, l'œil vitreux, agonisant.

« Viens, Tidou, fait Corget, à voix basse, en me prenant le bras, nous le sauverons. »

CHAPITRE XV

DERRIERE LES MURS D'UN JARDIN

PLUS que quelques heures pour sauver Kafi. Je pensai tout de suite à la police. La première fois, en suivant Gnafron au commissariat, j'avais été très impressionné. Après ce que j'avais vu et entendu, j'étais certain, à présent, qu'on m'écouterait.

« Oui, fit Corget, il faut avertir la police. »

Nous descendîmes en courant les petites ruelles qui dégringolent de Fourvière. Comme l'autre fois, la salle du commissariat était pleine

d'agents, mais je ne reconnus pas ceux que nous avions déjà vus. Mon chagrin de savoir Kafi en danger me donna tous les courages. Haletant, j'expliquai ce qui venait de se passer. Hélas! voyant qu'il s'agissait d'un chien, l'agent à qui je m'étais adressé fit la moue.

« Oh! m'sieur! fit vivement Gnafron, ils n'ont pas le droit de garder son chien à lui... et ils n'ont pas volé qu'un chien... puisqu'on vous dit que ce sont les cambrioleurs de la rue des Rouettes!...

— Qu'en savez-vous?

— Nous les avons entendus parler entre eux, l'homme et la femme.

— Du cambriolage?

— Du quai Saint-Vincent, qui est tout à côté... et ils veulent tuer le chien parce qu'ils ont peur.

— Peur de quoi?

— Qu'on les dénonce.

— Qui? Vous... des gamins? »

L'agent sourit puis, agacé, nous écarta de la main. Je me cramponnai à son bras.

« Oh! m'sieur l'agent, ils vont le tuer, demain matin, l'empoisonner, il faut le sauver. Nous voulons voir le commissaire.

— Il est occupé.

— Nous voulons le voir, il faut qu'il nous écoute. »

Devant notre insistance, l'agent finit par nous conduire à un bureau à la porte duquel il frappa deux petits coups. Derrière une table de travail encombrée de papiers, un monsieur à

lunettes, presque chauve, nous regarda en fronçant les sourcils.

« Que se passe-t-il?

— Je ne comprends rien à l'histoire que me racontent ces gamins, fit l'agent en s'excusant, ils prétendent avoir découvert les cambrioleurs de la rue des Rouettes. »

Alors, je repris mon récit mais, dès le début, constatant lui aussi qu'il s'agissait d'un chien, le commissaire fit la grimace et s'emporta presque.

« Et c'est pour cela que vous venez me déranger?... comme si les cambrioleurs s'amusaient à ramasser les chiens perdus! »

Je me ressaisis, prêt à répéter que j'étais absolument sûr de ce que j'avais vu et entendu, mais le commissaire donna un coup de poing sur la table et appela l'agent.

« Pas de temps à perdre à écouter ces balivernes, faites-moi sortir ces gamins! »

Puis, se tournant vers nous :

« Et estimez-vous heureux que je ne raconte pas à vos parents que vous avez tenté d'escalader le mur d'une propriété privée. »

Retraversant la salle pleine d'agents, nous nous retrouvâmes, désemparés, dans la rue.

« Tant pis, fit Gnafron en haussant les épaules, ils ne veulent pas nous croire... eh bien, nous nous passerons d'eux. »

Consternés, nous traversâmes, en silence, la place des Terreaux pleine de monde. Que faire?... Pour sauver Kafi, un seul moyen : revenir vers la maison grise et sauter, pour de bon

cette fois, le mur du jardin. Mais, bien entendu, nous devrions attendre la nuit, et la nuit, en cette saison, n'arrivait pas avant huit heures. D'autre part, afin que notre coup ait toutes les chances de réussir, il fallait mobiliser tous les « Gros-Caillou » pour faire le guet. Pourraient-ils venir? On décida d'aller voir Mady qui, certainement, nous donnerait une idée.

En apprenant que nous avions retrouvé la piste de Kafi, que je l'avais aperçu, la petite malade eut un cri de joie.

« Je le savais, fit-elle, j'étais sûre que les voleurs de la rue des Rouettes l'avaient emmené! »

Mais, quand elle sut qu'au commissariat, personne n'avait voulu nous croire et que, dans quelques heures, Kafi devait mourir, elle s'indigna et les larmes lui montèrent aux yeux.

« Oh! fit-elle, il faut, ce soir, que vous l'enleviez! Ces vilaines gens n'ont pas le droit de le garder et de le tuer. Oui, ce soir!... Oh! si je pouvais vous aider!... »

On lui expliqua qu'il serait difficile, après le souper, de réunir tous les « Gros-Caillou ». Elle réfléchit.

« C'est simple, dit-elle, vous n'aurez qu'à dire à vos parents que je vous ai tous invités ce soir, à cause de mon départ... D'ailleurs c'est vrai; cet après-midi, maman a fait un gros gâteau à votre intention. Dès que vous aurez délivré Kafi vous reviendrez ici tous ensemble. »

Chère Mady! en quelques mots elle avait su effacer notre amère déception de tout à l'heure.

Il ne nous restait qu'à retrouver les autres

« Gros-Caillou » pour les mettre au courant. Il était déjà six heures.

« Ne t'inquiète pas, Tidou, fit Corget, nous nous en occupons. Rendez-vous à huit heures et quart dans la caverne de la Rampe des Pirates. »

Je quittai Corget et Gnafron pour revenir chez moi mais au moment d'entrer, j'étais si bouleversé, si tremblant que je demeurai devant la porte, sans oser sonner. Je trouvai maman seule avec Geo. Le cœur battant, je demandai : « Papa n'est pas encore rentré? »

Maman me regarda d'un drôle d'air, à cause de ma voix qui, je le sentais bien, n'était pas naturelle.

« Voyons, Tidou, tu sais bien que c'est lundi, aujourd'hui, et que, cette semaine, il fait équipe le soir, à l'usine. »

C'est vrai, j'avais oublié. Mon père ne rentrerait pas avant dix heures et demie. Je soupirai. Il fallait tout de même que je demande à maman la permission de sortir de nouveau tout à l'heure. Alors pour cacher mon émotion, pendant le repas, je me mis à parler de Mady, de sa maladie, de son chagrin, de cet hôpital où elle devait repartir, où elle serait encore si malheureuse... puis, timidement, en rougissant très fort, justement parce que j'essayais de m'en empêcher, je dis qu'elle nous avait tous invités, ce soir, les « Gros-Caillou » et moi.

« Ce soir! s'exclama maman, pourquoi ce soir?... puisque vous êtes en vacances! »

Je me troublai, essayant de trouver une explication. Une grande envie me vint de tout dire, mais si elle ne pouvait me laisser sortir, si Kafi allait mourir?...

Non, c'était trop tard; alors je racontai que Mady nous avait invités ce soir parce que, demain, deux « Gros-Caillou » ne pourraient pas venir. Puis, très vite, je demandai :

« Dis, maman, tu veux bien me laisser sortir? je te promets de rentrer de bonne heure. »

Maman me regarda encore et soupira :

« Va... puisque c'est la dernière fois... »

Sitôt le souper terminé, je pris mon manteau, embrassai maman. Il me sembla, à ce moment-là, qu'elle devinait que je n'allais pas chez Mady mais, à l'instant même, mon petit frère, resté à table, renversa sa timbale pleine de lait et elle courut vers lui. Je me sauvai.

La rue était presque déserte. Je courus jusqu'à la Rampe des Pirates. Gnafron était déjà là, avec la Guille. Le Tondu et Coissieux (un grand rouquin) nous rejoignirent presque aussitôt... puis Corget et Bistèque.

« Tiens, regarde ce que j'ai déniché », fit Gnafron.

Il montra une sorte de petite échelle en fer qui n'avait guère plus d'un mètre de long, beaucoup trop courte pour le mur.

« Trop courte?... penses-tu, fit-il, une échelle de ramoneur, que mon voisin m'a prêtée! Elle se déplie, comme ça, et fait plus de trois mètres. »

Le Tondu et Bistèque eux, avaient apporté chacun une corde qui pourrait nous être utile.

A huit heures, la bande des « Gros-Caillou » était là; il ne manquait personne. Nous descendîmes au plus court pour rejoindre le quai Saint-Vincent. Le temps était couvert, heureusement. Impressionnés, nous marchions en longeant les murs, comme des conspirateurs. En traversant le pont, sur la Saône, j'eus brusquement très peur en voyant un agent cycliste mettre pied à terre, juste à notre hauteur. Gnafron, le Tondu et Bistèque cachèrent vivement leur attirail. Fausse alerte; l'agent n'était descendu de sa selle que pour remettre en place la chaîne de son vélo qui avait sauté.

Dix minutes plus tard nous arrivions au bas de la rue de l'Ange. Toujours longeant les murs, nous vînmes nous cacher dans l'escalier de pierre, mal éclairé, où certainement, à cette heure, personne ne devait plus passer.

Tout a été prévu. Deux « Gros-Caillou » feront le guet, dans la rue de l'Ange, deux autres dans l'escalier, plus bas. Corget et Bistèque tiendront l'échelle. Je grimperai le premier. Gnafron, leste comme un singe, m'accompagnera. Dès que nous aurons atteint la crête du mur, que nous aurons la certitude que personne ne peut nous voir de la maison grise, les autres feront passer l'échelle qu'il s'agira d'assurer, de l'autre côté du mur, dans le jardin. Tout cela n'est pas très compliqué. Pourvu que Kafi n'aboie pas!

Sans bruit, l'échelle est appliquée contre la clôture et solidement calée. Le cœur battant, je

m'élève; j'atteins le sommet du mur. Une nuit grise emplit le jardin; à peine si je distingue le toit du petit hangar qui abrite la niche. A travers les fentes des volets de la maison filtrent deux rais de lumière. Une seule pièce paraît éclairée, alors, doucement, très doucement, j'appelle :

« Kafi!... Kafi!... »

Je reconnais le cliquetis d'une chaîne dont les anneaux frottent les uns sur les autres.

« Kafi!... c'est moi, Tidou... chut! tais-toi! tais-toi!... »

Mon brave chien a reconnu ma voix, il laisse échapper de petits grognements étouffés et je perçois son halètement. Un bref regard encore vers la fenêtre et je fais signe à Gnafron de me rejoindre. Il faut faire vite. Sans bruit, l'échelle est hissée sur le mur, descendue de l'autre côté. Mais à ce moment, Kafi, intrigué par cette manœuvre, ne peut se retenir d'aboyer.

« Tais-toi, Kafi!... »

Je m'engage à nouveau sur l'échelle pour atteindre le jardin, la peur s'empare de moi. Oh! si, tout à coup, l'homme allait surgir, une arme à la main! Deux minutes passent. Les abois de Kafi, qui à présent se tait, n'ont pas alerté les habitants de la maison grise. Je touche le sol du jardin et Gnafron me rejoint. Mon cœur bat à tout rompre. Vingt mètres seulement me séparent de mon chien. Hélas! au moment même où je vais m'élancer vers lui, il recommence d'aboyer, si fort, cette fois, que je n'ose faire un pas de plus. Bien m'en a pris; au

même moment la porte de la maison donnant sur le jardin vient de s'ouvrir, éclairant le petit hangar. Gnafron et moi nous nous aplatissons vivement sur le sol, dans les broussailles d'un ancien massif. Une ombre se découpe, celle de l'homme; j'aperçois Kafi qui tirant de toutes ses forces sur sa chaîne, regarde fixement dans notre direction. L'homme va certainement comprendre que Kafi a aboyé parce qu'il vient de voir ou d'entendre quelque chose. Nous sommes perdus! En effet, l'homme se tourne vers nous, semble écouter. S'il fait quelques pas de plus, il va nous découvrir. Nous nous aplatissons davantage; mon cœur s'arrête de battre. Tout à coup, une idée diabolique vient à Gnafron. Mon camarade se met à imiter le miaulement d'un chat ou plutôt de deux chats qui se battent. Tirant sur sa chaîne, Kafi se reprend à aboyer furieusement. La petite ruse de Gnafron a réussi. L'homme s'arrête, se retourne vers Kafi.

« Ah! sale bête, c'est pour des chats que tu fais ce tapage... tiens!... »

Les aboiements de mon chien se transforment en gémissements. Pour le faire taire, la brute lui a lancé un coup de pied. L'échine basse, Kafi rentre dans sa niche où l'homme le menace encore. Puis, il revient vers la maison et la porte se referme. Le jardin est de nouveau plongé dans l'obscurité.

Toujours étendus dans l'herbe, nous reprenons notre respiration. Deux minutes s'écoulent, interminables. Kafi, terrorisé, ne quitte plus sa

niche. La maison grise est silencieuse et les rais de lumière filtrent toujours à travers les volets d'une fenêtre.

« C'est le moment, mumure Gnafron, allons-y !... »

CHAPITRE XVI

DEUX PETITES VALISES JAUNES...

HÉLAS ! nous n'avions pas fait trois pas que, brusquement, à la fenêtre de la maison grise, les rais de lumière s'évanouirent. On s'étendit à nouveau prestement sur le sol. Presque aussitôt, la porte donnant sur le jardin se rouvrit mais, cette fois, sans laisser échapper, vers l'extérieur, la moindre clarté. Puis, le petit rond lumineux d'une lampe électrique balaya les marches, le hangar où, l'espace d'un instant, j'aperçus Kafi, toujours blotti au fond de sa

niche. Pourquoi l'homme avait-il éteint, à l'intérieur? Que voulait-il faire avec sa lampe de poche? Nous avait-il aperçus, à travers les fentes des volets?... ou bien se préparait-il à tuer Kafi?

Epouvanté, je saisis la main de Gnafron qui tremblait presque autant que moi. Mais, presque aussitôt, sur les marches, une autre ombre apparut : celle de la femme. Il me sembla vaguement qu'elle portait un manteau, le manteau beige. Les deux ombres échangèrent quelques mots, à voix basse, puis le rond de lumière se déplaça... non pas dans notre direction mais vers le fond du jardin, là où le mur surplombait le terrain rocailleux. Près du mur, le rond de lumière s'immobilisa de nouveau, remonta le long de la clôture.

« Regarde! murmura Gnafron à mon oreille, on dirait qu'ils portent tous deux quelque chose. »

J'écarquillai les yeux. L'homme et la femme tenaient chacun une petite valise. Qu'allaient-ils faire?... Presque aussitôt, on entendit le petit bruit sec d'un verrou brusquement tiré. Je me souvins alors, dans l'après-midi, d'avoir remarqué, de l'autre côté du mur, à peu près à cette hauteur, un petit panneau de bois qui pouvait bien être une porte condamnée. Au bruit du verrou, succéda le grincement de gonds rouillés. La lumière disparut. L'homme et la femme étaient partis.

Pendant quelques secondes, nous demeurâmes immobiles, craignant de voir reparaître

les deux ombres. Rien. Alors, comme un fou, suivi de Gnafron, je m'élançai vers Kafi.

« Kafi!... Mon brave Kafi! »

Oh! cet instant où je retrouvai mon chien! Oubliant d'un seul coup ses misères, la pauvre bête se jeta sur moi, me bousculant, me donnant des coups de tête, mordillant mes vêtements comme si, dans sa joie, elle ne savait plus ce qu'elle faisait. Kafi!... Moi non plus je ne savais plus ce que je faisais. Je riais, pleurais, oubliant qu'un instant plus tôt j'avais connu une folle terreur et que, brusquement, la porte du jardin pouvait se rouvrir. Heureusement, Gnafron, lui, ne perdait pas la tête.

« S'ils revenaient, Tidou!... filons vite! »

En hâte, je détachai Kafi qui se mit à gambader, sautant après moi, sautant après Gnafron qui, la brave bête l'avait tout de suite compris, était aussi un ami. Je montrai à Kafi l'échelle appuyée contre le mur et l'aidai à se hisser sur les barreaux. Il arriva au faîte puis, après une légère hésitation, sauta d'un bond parmi les « Gros-Caillou ».

Il était sauvé!

Pendant quelques instants, ce fut une véritable frénésie. Chacun voulait le toucher, le caresser et lui, Kafi, répondait de son mieux à toutes ces marques d'affection en léchant les mains, les visages qui se présentaient. Mais, soudain, Corget s'inquiéta :

« Que s'est-il passé? Nous avons eu très peur. Pendant que vous étiez dans le jardin, j'ai risqué un œil par-dessus le mur. La lumière de

la maison s'est brusquement éteinte et les deux camarades qui faisaient le guet au bas des marches ont aperçu la lueur d'une lampe électrique et deux silhouettes. »

Mon bouleversement est encore trop grand, je ne peux pas répondre. A ma place, Gnafron explique que l'homme et la femme, dont la voiture est sans doute en panne, viennent de quitter la maison par une petite porte dérobée au fond du jardin et qu'ils portaient des valises.

« Des valises! s'écrie Bistèque. C'est louche. Ils emportaient peut-être des choses volées... Il faut les rattraper. »

La bande est unanime. Si vraiment les ravisseurs de Kafi sont aussi les cambrioleurs de la rue des Rouettes, l'occasion de les faire prendre est trop belle.

« Allons-y!... »

Nous dégringolons les escaliers. Mais l'homme et la femme ont eu le temps de prendre du large. Au bas des marches, impossible de retrouvers la moindre trace. Heureusement, Kafi est là.

« Cherche, Kafi, cherche!... »

Mon brave chien a compris. Flairant le sol, il va, vient, sur le trottoir puis, brusquement, s'élance. A sa suite, nous arrivons au bord de la Saône. Dans ces quartiers encore animés, les gens regardent, surpris, la galopade effrénée de cette bande de gamins. Derrière Kafi, nous traversons le pont de la Saône et longeons les quais. Soudain, le chien s'arrête, dresse les oreilles et se met à trembler.

« Là-bas! fait le Tondu... ce sont eux; il les a reconnus! »

Le doigt tendu, il montre deux silhouettes qui s'éloignent d'un bon pas, l'une derrière l'autre.

Notre course reprend mais, à présent, Kafi n'ose plus me quitter, comme s'il craignait de recevoir encore quelque mauvais coup. Au bruit de la galopade, l'homme se retourne et reconnaît le chien qui se trouve juste sous un lampadaire, à côté de nous. Malgré la distance, on peut lire l'affolement sur son visage. Pendant quelques instants, il reste en suspens puis, brusquement, se remet à courir, sa valise à bout de bras, tandis que sa femme s'efforce de le suivre.

« Rattrapons-les, vite! »

Avec ses jambes en pattes d'araignée, le Tondu a pris les devants. Il va rejoindre les habitants de la maison grise quand l'homme se retourne, bondit et, d'un coup de poing, envoie rouler le Tondu sur le trottoir.

Cela s'est passé si vite que nous avons à peine vu le geste. Nous nous empressons autour de notre camarade qui se relève en se frottant le menton. Il n'a pas grand mal, heureusement. Mais, pendant ce temps, l'homme et la femme nous ont distancés. La poursuite reprend.

« Aux voleurs! crie Gnafron, aux voleurs!... »

Pour nous échapper, les fuyards se sont engagés dans une petite rue qui pénètre au centre de la ville. Nous les perdons de vue. Mais tout à coup, oh! stupeur, nous les apercevons de nouveau, mais ils ne sont plus seuls; ils ont alerté des agents.

« Rattrapons-les, vite! »

« Les voilà! crient-ils en nous désignant. Ces petits voyous nous poursuivent depuis Fourvière... ils ont voulu nous attaquer!

— Oui, reprend la femme, ils nous ont bousculés pour s'emparer de nos valises... »

Nous nous sommes arrêtés net, suffoqués. Les deux agents s'approchent de notre bande, nous détaillant, l'air soupçonneux.

« Eh bien, mes gaillards!... »

Le Tondu proteste avec vigueur.

« Ce n'est pas vrai!... Au contraire, cet homme m'a envoyé à terre d'un coup de poing,... voyez mon menton qui saigne!...

— Ils ont volé son chien, à lui, hurle le petit Gnafron en me montrant.

— Arrêtez-les! s'égosille Corget. Ce sont eux qui ont fait le coup de la rue des Rouettes! »

L'homme et la femme le prennent de haut.

« Oh! par exemple! c'est trop fort... Messieurs les agents, voici mes papiers, lisez, je vous en prie; nous sommes d'honorables commerçants. »

Un agent prend la carte d'identité qu'on lui tend, la parcourt à la lueur de sa lampe électrique. Elle est en règle.

« Laissez-nous continuer notre chemin, fait vivement la femme, nous allions à la gare, nous allons manquer notre train.

— C'est faux, rétorque le Tondu, quand nous les avons aperçus, sur le quai, ils ne filaient pas vers la gare. »

Les agents ne paraissent pas vouloir prendre nos accusations au sérieux. Nous devons tous

d'ailleurs avoir de drôles de têtes, après notre dégringolade éperdue, du haut de Fourvière.

« C'est bon, que toute la bande nous suive au poste. »

Nous protestons avec énergie. Un agent saisit le Tondu par le bras, le prenant peut-être pour le chef de la bande, à cause de sa taille. Le « Gros-Caillou » se débat avec une telle énergie que son béret tombe à terre, découvrant son crâne en boule de billard.

« En route!... au poste!... »

Alertés par la scène, des badauds se sont approchés. Profitant de cet instant où les agents s'occupent de nous, l'homme et la femme essaient de s'éclipser, mais tout à coup, dans son affolement, la femme heurte un vélo rangé le long du trottoir, lâche sa valise qui s'ouvre comme une noix, laissant répandre son contenu qui résonne, sur le pavé, en tintements métalliques.

Tout le monde se précipite. L'homme et la femme n'ont pas eu le temps de tout remettre dans la valise. Une lampe électrique fait étinceler le boîtier d'une montre en or, les perles d'un collier.

« Aux voleurs!... » crie de nouveau Gnafron.

L'homme tente d'expliquer qu'il est antiquaire, qu'il transportait des objets de valeurs et que ces garnements devaient le savoir. Mais ce déballage insolite a enfin mis la puce à l'oreille des agents.

« Tous au commissariat... vous aussi! »

Rouge de colère, la femme s'insurge encore.

A cause de ces sales gamins, ils vont manquer leur train. Ils vont rater un rendez-vous important. Peine perdue, ils doivent suivre, eux aussi.

Dix minutes plus tard, toute la troupe arrive au commissariat qui n'est pas celui où nous sommes déjà venus. A la clarté des lampes, apparaissent les mines sinistres de l'homme et de la femme qui n'ont plus l'air furieux de tout à l'heure, mais plutôt inquiet.

On nous introduit dans une petite salle où nous nous entassons : le bureau du commissaire. Kafi frotte contre moi sa grosse caboche. On dirait qu'il comprend que tout ceci vient d'arriver à cause de lui. De temps à autre, il lève, vers ses ravisseurs, un regard plein d'effroi.

« Voilà, monsieur le commissaire, expliqua

un des agents, nous étions en service près des quais de la Saône, quand tout à coup... »

Et il entreprend le récit de la scène, s'efforçant de n'oublier aucun détail. Le commissaire écoute, hochant de temps en temps la tête; puis, jetant un coup d'œil sur les valises déposées sur le coin de la table :

« Que contiennent-elles? demande-t-il à l'homme.

— Monsieur le commissaire, je l'ai dit tout à l'heure aux agents, elles renferment des objets de valeur; je suis antiquaire comme l'indique ma carte d'identité.

— Ouvrez!...

— Mais, monsieur le commissaire...

— Ouvrez! »

Le ton est impératif. L'homme doit s'exécuter. Nous penchons la tête pour mieux voir. Des deux petites valises jaunes, les agents retirent toutes sortes d'objets, des bijoux surtout. Soudain, le regard du commissaire s'immobilise sur une sorte de petit coffret brillant, incrusté de pierres bleues. Il le prend, le tourne et le retourne délicatement entre ses gros doigts, prend ses lunettes pour déchiffrer une inscription dans le médaillon du couvercle.

« Oui, c'est bien cela », murmure-t-il, entre les dents.

Puis, s'adressant à l'homme :

« Ainsi, vous prétendez exercer la profession d'antiquaire... pourriez-vous me dire, par exemple, d'où vient ce coffret? »

L'homme se trouble, regarde sa femme,

comme pour demander une aide, et bredouille :

« Euh... Monsieur le commissaire, j'ai de nombreux clients,... je ne me souviens pas toujours...

— Vraiment?... vous ne savez pas? »

Un étrange silence règne dans la salle, un silence si impressionnant que Kafi, inquiet, plie l'échine.

« Eh bien? reprend le commissaire, en fronçant les sourcils, si vous avez perdu la mémoire, moi, je peux vous la rafraîchir. Ce coffret en or a été volé rue des Rouettes, il y a trois mois... et s'il est encore entre vos mains c'est qu'il était trop difficile à vendre, à cause de cette inscription.

— Volé? proteste vivement l'homme, ce n'est pas possible... en tout cas, je n'y suis pour rien... je suis un honnête commerçant.

— C'est faux! nous écrions-nous, tous en même temps. La nuit du cambriolage, il était dans la rue des Rouettes, c'est là aussi qu'il a volé Kafi! »

Le commissaire nous invite au silence puis, se retournant vers l'homme :

« De toute façon, voleur ou receleur, pour la justice, il n'y a guère de différence. »

Cette fois, l'homme commence à comprendre qu'il n'y a pas grand-chose à faire. Dans un sursaut de colère qui le trahit, il se tourne vers Kafi.

« Sale bête, c'est à cause de toi... j'aurais mieux fait de te tuer tout de suite... »

Puis, baissant la tête, il ajoute entre ses dents :

« Oui, c'est moi! »

Il se tait et refuse de répondre aux questions qui lui sont posées; la femme, au contraire, se met à parler. Elle avoue tout. C'est avec un complice, chez qui précisément, tout à l'heure, ils s'en allaient cacher les bijoux, que l'appartement de la rue des Rouettes a été cambriolé. Son mari faisait le guet, quai Saint-Vincent, dans une auto, quand il a aperçu le chien, attaché près du café. Ayant vu le papier sur la petite table, il l'a lu, a ensuite flatté le chien pour qu'il n'aboie pas. Comme c'était un bel animal, il l'a emmené, pensant pouvoir le revendre. Finalement, il l'a gardé, espérant le dresser pour garder l'auto, la nuit, pendant les cambriolages, et même donner l'alerte en aboyant, en cas de danger.

Elle aussi, se retourne vers Kafi, les poings serrés :

« Sale bête! »

Mais, près de moi, Kafi est à présent en sécurité. De question en question, on apprend ensuite que ces malfaiteurs n'en étaient pas à leur coup d'essai. Ils livrent le nom de leur complice.

C'est fini; des ordres sont donnés. Les agents emmènent les deux malandrins. Alors, le commissaire se lève, vient à nous, se penche vers Kafi qui, apeuré, se réfugie dans mes jambes.

« Mais non, mon brave chien, fait le commissaire en le caressant, je ne te veux pas de mal, au contraire. Grâce à toi, nous venons de mettre

la main sur ces malfaiteurs que nous recherchions depuis si longtemps, comme récompense tu mériterais un gigot tout entier! »

Puis, se tournant vers nous.

« Quant à vous, mes petits gars, mes félicitations! Si, plus tard, vous ne savez pas quoi faire dans la vie, vous pourrez toujours choisir le métier de détective! Vous êtes libres, si par hasard j'avais besoin d'autres renseignements pour l'enquête, je vous ferais revenir... »

Nous nous retrouvons dans la rue, complètement abasourdis. Oh! c'est trop beau! J'oublie tout ce qui vient de se passer pour ne penser qu'à une chose : j'ai retrouvé Kafi. Comment croire à mon bonheur? Pourtant, c'est bien vrai, il est là, qui, voyant que je m'intéresse de nouveau à lui, me lèche les mains. Aussitôt, je pense à Mady. Avec quelle impatience elle doit nous attendre!

« Allons-y tous », propose le Tondu.

Nous remontons vers la Croix-Rousse en courant. Hélas! rue des Hautes-Buttes, au quatrième étage, les lumières sont déjà éteintes. Pauvre Mady, elle n'apprendra la bonne nouvelle que demain.

Alors, nous nous dirigeons vers la Rampe des Pirates où la fameuse niche attend Kafi, pour la nuit. Cependant, au dernier moment, je ne me sens pas le courage de me séparer de lui. Il doit avoir tant de choses à me raconter dans son langage muet de chien. Cette pensée, Corget et les autres l'ont devinée.

« Bah! si tu l'emmenais chez toi, pro-

posent-ils, nous parions que tes parents ne te diront rien... et au diable ta concierge!... »

Oui, au diable la concierge! D'ailleurs, avec Kafi près de moi, j'ai retrouvé toute mon assurance. Nous nous serrons les mains à s'en faire craquer les jointures; une caresse de chacun à Kafi... et me voici débouchant dans la rue de la Petite-Lune avec mon chien. La fenêtre de la concierge est encore éclairée; tant pis! Le cœur battant, je grimpe l'escalier.

« Comme c'est haut! semble dire Kafi. Où m'emmènes-tu? »

Mais, arrivé sur le palier, brutalement, je me rends compte de mon audace. Sans bruit, pour ne pas éveiller Geo qui doit dormir, je pousse la porte. Mais Kafi a tout de suite reconnu maman, il se précipite vers elle. Surprise, maman pousse un cri d'effroi, puis reconnaît notre chien. Elle n'en croit pas ses yeux.

« Oh! Kafi! est-ce possible?... Comment est-il venu?... qui l'a amené? »

Du coup, elle oublie la terrible inquiétude que je lui ai donnée en rentrant si tard. Elle regarde Kafi, me regarde, cherchant à comprendre.

« Vite, Tidou, explique-moi! »

Tandis qu'elle passe la main dans la fourrure de Kafi qui grogne de plaisir, je reste devant elle, affreusement embarrassé. Mais non, c'est fini, à présent, je peux tout dire.

Alors, je raconte l'effarante aventure de Kafi, comment j'ai voulu le faire venir à Lyon, comment les « Gros-Caillou » m'ont aidé, comment je l'ai retrouvé grâce à Mady. Bien

sûr, je ne peux pas, tout de suite, avouer que nous avons escaladé un mur pour le reprendre, que nous sortons du commissariat, je dirai tout cela demain, quand je serai remis de mes émotions; j'ai d'ailleurs tant d'autres choses à lui expliquer. Je ne m'arrête plus de parler. Oh! c'est si bon de pouvoir enfin me libérer de ce qui m'a tant préoccupé pendant des mois:

« Oh! maman! pardonne-moi de ne t'avoir jamais rien dit. J'étais si malheureux sans mon chien, dans cette grande ville... et Kafi aussi a été très malheureux. S'il pouvait parler!... Regarde comme il est maigre, comme il est craintif quand on élève la voix. Pauvre Kafi! »

Bouleversée, maman ne répond pas. Elle se contente de caresser notre fidèle compagnon de Reillanette. Je vois bien qu'elle me comprend, qu'elle me pardonne.

Mais, des pas résonnent dans l'escalier. Mon père rentre du travail! Je me reprends à trembler. Mes yeux cherchent vivement ceux de ma mère.

« Oh! maman! défends-moi... défends-nous tous les deux!... »

La porte s'ouvre. Mon père s'est soudain arrêté devant le tableau que nous formons, maman, Kafi et moi. Ses sourcils se froncent. De toutes mes forces, je retiens Kafi qui veut s'élancer vers son ancien maître. Mon père fait un pas en avant, s'arrête de nouveau, le regard interrogateur.

« Oh! ne gronde pas Tidou, s'écrie maman; oui, il a fait revenir Kafi... mais, si tu savais!...

regarde comme la pauvre bête est maigre... Rassure-toi, nous n'allons pas la garder ici, elle a déjà sa niche, toute prête, dans une maison abandonnée,... les camarades de Tidou ont promis de s'en occuper... »

Debout, devant nous, père me regarde avec insistance. Il me semble voir la colère monter en lui. Non. Lentement, ses sourcils se desserrent. Un sourire passe sur ses lèvres. Alors, je cesse de retenir Kafi qui s'élance vers lui.

« Mon bon chien! fait-il en le caressant, à moi aussi tu manquais. Dire que tout à l'heure, en quittant l'atelier, je pensais encore à toi! »

Puis, se tournant vers moi.

« Après tout, tu as bien fait, Tidou; puisqu'il est là, nous nous arrangerons pour le garder. »

Cette fois, c'est la joie. Je saute au cou de mon père et l'embrasse frénétiquement.

« Oh! merci, papa!... »

CHAPITRE XVII

UNE VIEILLE DAME AUX CHEVEUX BLANCS

LE LENDEMAIN, malgré mes émotions de la veille, je m'éveillai de bonne heure. Quand j'ouvris les yeux, Kafi était là, le museau sur le revers de la couverture. Comme à Reillanette, il s'était approché sans bruit, attendant que j'ouvre les paupières, pour me dire bonjour. Son regard, si craintif la veille, avait déjà repris son éclat. Quand j'étendis la main pour le caresser, il retrouva sa façon amusante de pencher la tête pour me dire qu'il était joyeux.

Presque aussitôt, je pensai à Mady. La veille, angoissée, elle avait dû nous attendre longtemps. Je me levai en hâte, avalai mon petit déjeuner tandis que Kafi, de son côté, lapait un bol de lait... pas de lait de chèvre comme à Reillanette, mais du lait tout de même. Je brossai soigneusement son pelage, hélas! moins luisant qu'autrefois et je sortis avec lui.

Cette fois, la concierge ne m'effrayait plus, tant j'étais fier de montrer mon chien. En descendant l'escalier, j'eus même tellement envie de la voir apparaître avec son chignon branlant sur la nuque, qu'au dernier palier, je fis à mon chien :

« Alors, Kafi, on part en promenade? »

Promenade!... C'était, pour lui, le mot magique entre tous, le mot, qu'à Reillanette, il saluait toujours de grands aboiements joyeux. Il n'avait pas oublié. Dans l'escalier sonore, sa voix puissante retentit comme un roulement de tonnerre. Immédiatement, la concierge apparut. Devant le balai qu'elle brandissait, brosse en l'air, Kafi aboya de plus belle. Epouvantée, la concierge rentra précipitamment dans sa loge en faisant claquer la porte. Malgré moi, j'éclatai de rire. C'était ma petite et innocente vengeance,... que je devais d'ailleurs un peu me reprocher quelques heures plus tard.

Côte à côte, mon chien et moi, nous descendîmes la rue de la Petite-Lune qui, ce matin-là, me parut belle, presque propre et coquette. Je parlais à Kafi comme on parle à un véritable ami, lui expliquant : « Là, vois-tu, c'est notre

épicerie, ici, la crèmerie où j'ai acheté le lait que tu as bu tout à l'heure... plus loin, la boucherie. » Alors, il hochait la tête comme s'il approuvait.

Mais, en arrivant au bas de la rue des Hautes-Buttes, mon cœur se serra. J'étais heureux... et Mady, elle, allait partir, toute triste.

Quand je frappai à sa porte, moi qui m'étais représenté avec tant de joie le jour où, enfin, je lui amènerais mon chien, je me sentis embarrassé. Pourtant, c'est par une explosion de joie qu'elle nous accueillit.

« Oh! Tidou... j'ai eu si peur, hier soir! Quand j'ai vu que vous ne reveniez pas j'ai cru qu'il vous était arrivé quelque chose,... que vous ne l'aviez pas retrouvé... qu'il était mort. C'était affreux. »

J'étais resté à l'entrée de sa chambre. Intimidé devant cette petite fille étendue sur une chaise longue, devant la fenêtre, Kafi n'osait pas s'avancer.

« Allons, Kafi! dis bonjour à Mady! »

Mon chien me regarda, puis regarda la petite malade, sans bouger d'une patte, mais dès qu'elle prononça son nom, il s'élança. Surprise, Mady eut un petit mouvement d'effroi que Kafi comprit aussitôt. Alors, il s'arrêta, s'approcha doucement. Elle étendit sa main qu'il lécha. C'en était fait; Mady et Kafi, eux aussi, étaient amis.

« Oh! fit la malade, en continuant de caresser mon chien, je suis si heureuse pour toi, Tidou! »

Je souris, mais, je le sentis bien, d'un sourire

pas tout à fait naturel, pas tout à fait heureux. Je pris la main de Mady, la gardai longtemps dans la mienne, sans rien dire.

« Qu'as-tu? » fit-elle...

Elle m'obligea à la regarder dans les yeux.

« Est-ce à cause de moi?... parce que je vais partir?

— Je ne voudrais pas que tu retournes là-bas, Mady, tu y seras encore trop malheureuse.

— Tu m'écriras souvent, Tidou et les autres « Gros-Caillou » aussi. De loin, vous m'aiderez à trouver le temps moins long. Tu n'aimes pas écrire?

— Oh! si, Mady, je t'écrirai souvent, très souvent. »

Tout en parlant, elle ne cessait de passer ses doigts dans la fourrure de Kafi qui, séduit par la voix douce de la petite malade, ne bougeait pas. Soudain, au bord de la paupière de Mady, une larme perla qu'elle essaya de dissimuler en tournant la tête.

« D'abord, fit-elle vivement en se forçant à sourire, je ne suis pas encore partie, seulement demain... et, cet après-midi, vous viendrez tous fêter le retour de Kafi; le gâteau de maman vous attend toujours... C'est entendu, n'est-ce pas? Ce soir, à quatre heures, vous serez tous là... Si tu allais dès maintenant prévenir tes camarades, pour qu'il ne manque personne? »

Elle avait trop de peine; elle préférait être seule pour pleurer; cela me fit mal.

Malgré toute ma joie d'avoir retrouvé Kafi, quand je quittai la rue des Hautes-Buttes, je ne

réussis pas à chasser le gros nuage noir qui gâchait mon bonheur. Mady allait partir, nous ne pouvions rien pour elle, je ne pensais qu'à cela.

A la caverne des Pirates, toute la bande m'attendait. Plusieurs « Gros-Caillou » avaient acheté le journal qui annonçait en gros titre :

UN CHIEN ET UNE BANDE DE GAMINS DE LA CROIX-ROUSSE FONT ARRETER DE DANGEREUX CAMBRIOLEURS...

Cependant, pas plus que moi, ils ne songeaient à se montrer fiers de notre exploit. La veille, dans l'obscurité, ils avaient à peine eu le temps de le voir. Ils avaient hâte de faire vraiment sa connaissance. Ils le trouvèrent encore plus beau, plus intelligent que je l'avais décrit. Tous s'étaient débrouillés pour le gâter, lui apportant toutes sortes de choses, de quoi lui donner une magistrale indigestion.

« Mady va nous quitter, quel dommage! soupira le Tondu, nous aurions attelé Kafi au carrosse; il l'aurait promenée partout. »

Quand j'expliquai que je venais de chez elle où je l'avais trouvée très triste, ils furent consternés. Seul Gnafron n'était pas là; on décida d'aller le prévenir pour qu'il ne manque pas le rendez-vous. Il habitait près du Toit aux Canuts. Pour se rendre chez lui, nous devions repasser par la rue de la Petite-Lune. Juste comme nous arrivions devant chez moi, un

agent de police levait le nez vers le numéro de l'immeuble.

« Il te cherche peut-être, fit Corget, puisque, hier soir, tu as laissé ton adresse au commissariat. »

En effet, l'agent frappa chez la concierge et j'entendis prononcer mon nom. Je m'approchai.

« Précisément, fit la concierge, en me montrant, le voici! »

L'agent me tendit une lettre à en-tête et remonta sur son vélo.

J'étais si ému que l'enveloppe tremblait entre mes mains. Il me sembla, tout à coup, que c'était à cause de Kafi, qu'on allait me le reprendre, je ne savais pourquoi.

C'était une simple convocation. Je devais me rendre au commissariat pour une affaire urgente! qu'était-il encore arrivé?

« Ne t'inquiète pas, fit Corget, si les agents ne s'occupent pas de retrouver les chiens, ils ne s'occupent pas non plus de les reprendre. »

Toute la bande décida de m'accompagner. Cette fois, en nous voyant entrer, les agents ne nous regardèrent plus d'un mauvais œil.

« Voilà nos détectives de la Croix-Rousse! » fit l'un d'eux en riant.

Cependant, en pénétrant dans le bureau du commissaire, je me sentis très impressionné. Mais le commissaire souriait, lui aussi.

« Ce matin, expliqua-t-il, nous avons convoqué la dame de la rue des Rouettes; elle a reconnu une partie de ses bijoux, en particulier le petit coffret en or, auquel elle tenait beau-

coup. Elle désirerait voir celui d'entre vous qui lui a permis de rentrer en leur possession... c'est bien toi, n'est-ce pas? »

Il me désignait.

« Non, monsieur le commissaire, pas moi seul, toute la bande.

— Eh bien, allez la voir ensemble, elle vous attend. Je ne sais ce qu'elle veut vous dire. »

C'est tout. Nous nous retrouvons dans la rue.

« Peut-être qu'elle veut t'acheter Kafi, fait Corget, parce que c'est grâce à lui qu'elle a retrouvé ses bijoux. »

Il dit cela en riant, mais qui sait?

Et nous voici repartis vers la rue des Rouettes. Nous reconnaissons la maison. L'intérieur devait être luxueux autrefois. Un large escalier de pierre et une belle rampe en fer forgé grimpent jusqu'en haut. Nous nous arrêtons au troisième.

« Sonne, Tidou, fait le Tondu, puisque c'est toi qu'elle veut voir. »

Une vieille dame aux cheveux blancs vient ouvrir. Apercevant toute cette bande sur le palier, elle recule avec un petit mouvement d'effroi, mais aussitôt elle aperçoit Kafi, que je retiens, et comprend.

« Je n'en attendais qu'un, fait-elle en souriant. Cependant vous avez bien fait de venir tous. »

Elle nous invite à entrer. Embarrassé à cause de son béret qu'il n'ose enlever, et qu'il n'est pourtant pas convenable de garder sur la tête,

le Tondu se cache de son mieux, en arrière. Jamais je n'ai vu un aussi bel appartement, partout des tapis, des tapis si épais que nous osons à peine les fouler. Kafi lève ses pattes, très haut, à cause des brins de laine qui le chatouillent. La vieille dame s'efforce de nous mettre à l'aise. Elle connaît l'extraordinaire aventure de Kafi, on la lui a racontée au commissariat et elle vient de la lire dans les journaux.

« Ainsi, fait-elle en caressant Kafi, c'est grâce à ce brave chien et à vous tous que j'ai retrouvé mes bijoux, en particulier ce coffret. Il a une grande valeur, c'est vrai, mais j'y tenais surtout parce que c'est un souvenir de famille. Secrètement, car je n'aime pas la publicité, je m'étais promis de récompenser celui qui me le ferait retrouver. »

Elle se dirige vers un petit secrétaire, ouvre un tiroir et se retourne vers nous.

« Voici! »

Elle me tend dix billets, dix gros billets tout neufs, mais ma main refuse de les prendre. Tous ensemble nous protestons.

« Oh! non, madame, nous ne voulons pas!... si nous avions su!...

— Vous ne pouvez pas refuser, je tiens absolument à tenir ma promesse. Je suis sûre que vous en trouverez l'emploi, vous ou vos parents. »

Nous protestons encore. Une pareille somme, presque une fortune! C'est inacceptable, mais elle insiste en souriant doucement.

« Je suis tellement heureuse!... »

Alors elle glisse les billets dans ma poche, donne une friandise à Kafi et nous reconduit à la porte en nous remerciant encore.

Nous sommes si abasourdis, en descendant l'escalier, que nous n'échangeons pas un seul mot et que Kafi, inquiet de ce silence, lève les yeux vers moi pour m'en demander la raison. Quand nous débouchons sur le quai Saint-Vincent, aucun d'entre nous n'a encore prononcé un mot.

« Elle a été trop chic, cette vieille dame, soupire enfin Gnafron. Que ferons-nous de tant d'argent? Nous avons retrouvé Kafi, ça nous suffisait largement. »

Tout le monde approuve. Cette véritable fortune qui nous tombe du ciel nous embarrasse, nous gêne. A peine si j'ose sortir les billets de ma poche pour les regarder.

« Comme c'est drôle! fait Bistèque. Nous venons de recevoir de l'argent, beaucoup d'argent, nous devrions danser de joie et nous faisons presque des têtes d'enterrement... »

C'est pourtant vrai. Bistèque a raison, cet argent nous embarrasse. Qu'allons-nous en faire? Bien sûr, je sais que, secrètement, tous les autres pensent comme moi : nous achèterons à Mady des livres, de petites choses qui lui feront plaisir et adouciront ses longues heures de solitude, mais quoi de plus? Si au moins cet argent pouvait servir à la guérir!

Mais, brusquement, une idée traverse mon esprit, une idée extraordinaire, merveilleuse... si merveilleuse que je m'arrête net, dans la mon-

tée, le souffle coupé. Mes camarades me regardent.

« Eh bien, Tidou, qu'as-tu?

— Ecoutez! tout d'un coup, je viens... »

Les « Gros-Caillou » m'entourent, presque inquiets de me voir pâlir.

« Nous ne savions que faire de tout cet argent... j'ai trouvé. Il va nous servir à empêcher Mady de repartir là-bas. Notre ancienne maison de Reillanette n'est peut-être pas encore occupée. Puisque c'est de soleil que Mady a besoin pour guérir, nous pourrions louer cette maison pour elle et sa mère. Je suis sûre qu'elle ne s'y ennuierait pas. Elle y passerait tout l'été; ah! pour ce qui est du soleil elle n'en manquerait pas. Et même si elle avait besoin de voir le médecin, Avignon est si près. Qu'en pensez-vous?... »

Aussitôt, tous les « Gros-Caillou » de se précipiter vers moi, les mains tendues.

« Formidable! Tidou. Nous allons sauver Mady, nous lui devons bien ça!... »

CHAPITRE XVIII

DU SOLEIL POUR MADY

Mais ce projet n'est-il pas trop beau? Mady doit partir demain, n'est-il pas trop tard pour le réaliser?

Sans plus attendre, j'entraîne la bande chez moi, en prévenant mes camarades :

« Attention, pas de bruit, il ne faut pas que la concierge aperçoive Kafi. »

Pas de chance, la concierge est au bas de l'escalier, avec son balai; mais pour notre plus grand étonnement, elle n'a plus son air cour-

roucé des autres jours, je crois même qu'elle sourit, mais oui, elle sourit, et, apercevant mon chien elle demande :

« Il n'est pas méchant, au moins? »

Puis, elle s'enhardit à le flatter du bout de ses gros doigts. Nous n'en revenons pas. Tout s'explique pourtant. Entre-temps elle a lu le journal. Notre exploit — et celui de Kafi — est un peu devenu le sien.

Nous arrivons là-haut. Mon père vient juste de rentrer. Il commence par froncer les sourcils devant cette invasion. La voix hachée par l'émotion, j'explique ce qui vient d'arriver et je sors les billets de ma poche.

« Tout ça pour nous, papa... mais, tu penses bien, nous ne voulons pas les garder. »

Et, très vite, je raconte ce que, tous ensemble, nous venons de décider.

« Oh! s'écrie maman, quelle merveilleuse idée, en effet. Bien sûr, nous allons nous en occuper, écrire à Reillanette.

— C'est-à-dire, remarque mon père... ne croyez-vous pas qu'il faudrait d'abord demander l'avis des parents de cette fillette?

— M'sieur, déclare Gnafron, nous sommes sûrs qu'ils accepteront... mais il faut faire vite. Mady devait partir demain. »

Nous regardons mon père qui, le front plissé, réfléchit. Homme aux décisions rapides, il ne tarde pas à répondre.

« Vous avez raison, faisons vite. Je descends au café le plus proche téléphoner au propriétaire de notre ancienne maison pour savoir si

elle est encore libre... De là, je cours rue des Hautes-Buttes et j'explique l'affaire aux parents de cette petite Mady.

Mon père reprend sa veste qu'il avait déposée sur le dossier d'une chaise et dégringole l'escalier. Tous les « Gros-Caillou » décident d'attendre son retour. Quelle invasion dans notre si petit appartement! Le temps passe, nous commençons à nous inquiéter. Enfin les pas lourds mais rapides de mon père résonnent de nouveau. Nous nous précipitons à sa rencontre.

« Alors, papa?

— Ainsi que je le craignais, les parents de Mady ont vigoureusement protesté, ne voulant pas accepter un centime de cet argent qui n'est pas à eux. J'ai insisté, affirmé que vous aimeriez mieux jeter ces billets dans le Rhône plutôt que de les garder pour vous... Bref, ils ont fini par consentir.

— Et la maison?

— C'est réglé. J'ai même bien fait de téléphoner au lieu d'écrire. Le propriétaire avait reçu, hier, une demande de location, de la part d'une famille de Parisiens, pour les vacances. Naturellement, il vous la garde.

— Et Mady, qu'a-t-elle dit?

— Rien... pour la bonne raison qu'elle ignore tout encore. Nous avons décidé, ses parents et moi, que vous lui annonceriez vous-même la bonne nouvelle, tout à l'heure. »

Fou de joie, j'embrasse mon père, et la bande des « Gros-Caillou », à son tour, se jette à son cou. Mady a sauvé Kafi et, à présent, nous allons

sauver notre petite camarade. C'est merveilleux.

Mais, il est tard, midi a sonné depuis longtemps.

« Allez vite! » fait maman, comme une mère poule qui écarterait ses trop nombreux poussins. « Rentrez chez vous déjeuner, sinon, tout à l'heure, vous ferez attendre Mady. »

La bande dégringole l'escalier, mais sans bruit, sur la pointe des pieds, pour ne pas déranger la concierge devenue si conciliante. Je reste seul avec mes parents et mon petit frère... et Kafi, bien entendu. A table, je ne reconnais plus mon père. Il est aussi heureux que moi... et Kafi le sent bien, qui vient se frotter dans ses jambes en poussant de petits grognements de plaisir.

Pour moi, c'est le jour le plus magnifique depuis le matin humide de notre arrivée à Lyon. L'émotion me serre la gorge. J'ai oublié que j'avais faim. Sans cesse, je regarde l'heure. Dire que Mady ne sait rien encore! qu'elle pleure peut-être, en ce moment, pensant à son départ.

La dernière bouchée avalée, je me lève pour me changer, comme le jour où nous avons inauguré le fameux carrosse, et j'emmène mon chien.

« Silence, Kafi, n'aboie pas dans l'escalier. Désormais tu dois, toi aussi, te montrer un bon locataire. »

Kafi a compris. Silencieusement, comme un chat, il glisse le long des marches sur ses pattes de velours. Nous arrivons en courant à la ca-

verne. Il n'est pas encore deux heures mais presque tous les « Gros-Caillou » sont là, en tenue, eux aussi, presque méconnaissables, tant ils se sont fait beaux. Le petit Gnafron a dû renverser le flacon de parfum de sa mère sur sa tête, il embaume l'eau de Cologne à quinze pas. Quant au Tondu, pour qui le couvre-chef est d'une importance capitale, il a emprunté la casquette de son père qui lui tombe jusqu'aux oreilles.

Mady avait dit : à quatre heures. Tant pis, nous ne pouvons plus tenir. Et nous voilà partis, presque en cortège, Kafi en tête. Nous arrivons rue des Hautes-Buttes. La mère de Mady, nous a entendus monter, elle nous attend sur le palier.

« Oh! déjà là!... »

Mais je sens bien que ce « déjà » n'est pas un reproche, qu'il signifie plutôt : « enfin ».

« Ah! mes enfants! comment vous remercier?... c'est trop beau, approchez, que je vous embrasse tous... Excusez mon mari, il a déjà dû repartir au travail. Si vous saviez comme il est heureux lui aussi... »

Bouleversée, elle s'essuie les yeux.

« Mady ne sait rien encore... entrez! »

Au moment où la porte s'ouvre, ce ne sont pas dix cœurs qui battent dans nos poitrines, mais dix marteaux qui frappent, tant nous sommes émus. Surprise, Mady s'écrie :

« Comme c'est gentil d'être en avance! Voyez, maman n'a pas eu le temps de préparer la table... mais qu'avez-vous?... pourquoi êtes-vous

restés si longtemps sur le palier avant d'entrer?... »

C'est vrai, nous ne savons pas cacher notre émoi. Nous nous regardons tous, embarrassés. Je sens une main me pousser en avant.

« Parle, Tidou, puisque c'est toi, le premier, qui as eu l'idée. »

Alors je m'approche de Mady et, très vite, pour cacher mon trouble, je lui explique ce qui nous est arrivé et ce que nous avons décidé tous ensemble, en accord avec ses parents. Cela lui paraît si extraordinaire qu'elle jette un regard vers sa mère, comme pour lui demander confirmation.

« Oui, Mady, tout est arrangé, la maison de Reillanette nous attend. »

La petite malade rougit, puis pâlit; deux larmes silencieuses roulent sur sa joue. Enfin elle explose de joie.

« Oh! je vais partir à Reillanette, avec maman; je ne serai pas seule; je verrai des arbres, des champs et j'aurai beaucoup de soleil!... »

Elle voudrait saisir toutes nos mains à la fois. Elle rit, elle pleure, elle ne sait plus ce qu'elle dit.

« C'est trop beau!... Oh! à présent, je suis sûre de guérir vite, très vite... grâce à vous tous.

— Non, Mady, ne nous remercie pas; sans toi nous n'aurions sans doute jamais retrouvé Kafi... ni les voleurs. »

L'instant d'intense émotion passé, la mère de Mady s'empresse de préparer la table. Elle apporte le fameux gâteau. La chaise longue de

Mady est avancée et la petite malade calée, un coussin dans le dos. Les « Gros-Caillou » s'installent comme ils peuvent qui sur des chaises, qui sur des tabourets, qui sur un pliant de fortune.

« C'est merveilleux, ne cesse de répéter Mady, on allait m'emmener dans un hôpital et voilà que, tout d'un coup, j'ai l'impression de partir en vacances, oui, tout à fait cela... et vous viendrez me voir, tous, dans deux mois, quand l'école sera finie... et vous m'amènerez Kafi, n'est-ce pas, Tidou?... »

Elle serre contre elle mon chien qui la regarde avec des yeux attendris comme s'il comprenait qu'il est question de Reillanette.

Mais soudain Kafi tend l'oreille, pousse un petit grognement, en regardant du côté de la porte. Des pas résonnent dans l'escalier. Qui peut donc venir troubler notre joie? La mère de Mady va ouvrir et recule à la vue de trois personnages armés d'étranges appareils.

« Des journalistes! s'écrie Gnafron. Qu'ils nous laissent tranquilles, nous ne sommes pas des bêtes curieuses... »

Les reporters insistent. Ils sont d'abord allés au commissariat, puis dans la rue de la Petite-Lune, d'où la mère de Tidou les a envoyés ici.

« Juste un instant! quelques petites questions et le temps de prendre une photo. »

Nous nous laissons faire. Les journalistes nous entassent avec Kafi, au fond de la pièce. Nous protestons.

« Ah! non, pas de photos sans Mady!... c'est elle qui a retrouvé Kafi. »

Les reporters doivent changer leurs dispositions et nous nous regroupons autour de la chaise longue de Mady qui tient dans ses bras mon bon Kafi un peu inquiet. Moi, je m'arrange pour être le plus près d'eux possible.

« Attention!... »

Un éclair! un second! un troisième!... Affolé, Kafi aboie furieusement. Décidément, lui non plus n'aime pas la publicité...

C'est fini. La photo, nous assure-t-on, paraîtra en première page dans le journal du soir. Nous n'en tirons aucune fierté. Mais pour moi, elle sera un magnifique souvenir. Je l'encadrerai dans ma chambre. J'y retrouverai les visages de mes camarades de la Croix-Rousse, celui souriant de Mady, la bonne tête de mon chien, tous ceux grâce à qui cette grande ville, au début si hostile, ne sera pour moi plus jamais grise...

TABLE DES MATIÈRES

IMPRIMÉ EN FRANCE PAR BRODARD ET TAUPIN
7, bd Romain-Rolland - Montrouge.
Usine de La Flèche, le 05-04-1982.
6845-5 - Dépôt légal n° 4579, avril 1982.
20 - 01 - 0465 - 17 ISBN : 2 - 01 - 000895 - 2
Loi n° 49-956 du 16 juillet 1949 sur les publications
destinées à la jeunesse. Dépôt : 1961.